Oscar Milo Joaquim Natalia Sabrina Jean Gildo Tiago María Sara Lara Emanuel Alexandre Emanuel Leonardo Carolina Kate Laila Aisha Laura Thomas Renold Daniel Tatiana Jéssica Deise William Alberto Bianca Graciela Júlia Arthur Celso Elisa Fernanda Sofia Renata Paula Maísa Isidora Micael Júnior Gilson Ezequiel Simone Wendy Leandro Pedro Frederico Humberto Sebastião

Dicionário de Nomes

SCOTTINI

Dicionário de Nomes

Rua das Missões, 696 - Ponta Aguda
Blumenau - SC | CEP 89051-000

© Todolivro Ltda.
Todos os direitos reservados

Texto:
Alfredo Scottini

Revisão:
Tamara Beims

IMPRESSO NA CHINA
www.todolivro.com.br

Dados Internacionais de Catalogação na Publicação (CIP)
(Câmara Brasileira do Livro, SP, Brasil)

Scottini, Alfredo
Dicionário de Nomes / [texto Aldredo Scottini].
Blumenau, SC: Todolivro Editora, 2015.

ISBN 978-85-7324-479-3

1. Nomes pessoais - Dicionários I. Título.

15-03816   CDD-929.403

Índices para catálogo sistemático:

1. Nomes pessoais: Dicionários 929.403

Dedicatória

Dedico este dicionário a todos que me ajudaram com listas de nomes, com sugestões e, sobretudo, ao povo de minha família: Cremilda, minha esposa; aos filhos: Ângelo Alfredo, Ana Dóris, Dênio Alexandre, Ceres Oriana e Emanuel Francisco; às noras: Débora e Maria Noel; aos genros: Adriano e Laércio; ao netos: Natália Cristina e Breno Luigi.

Apresentação

As pessoas sempre se importam com o nome. Há os que lhe atribuem valores místicos, forças especiais... Existe, sim, uma realidade: o nome é um atributo que nos acompanha a vida toda. É a maneira que possuímos de conhecer — ou não — alguém.

Todos temos um. Alguns o trazem das tradições familiares, através de ascendentes, outros de uma personagem famosa do momento, como desportistas, artistas da televisão; ou do cinema; outros, de políticos, heróis e assim por diante. O nome deixou de ser uma exclusividade local, típica de um lugarejo. Hoje, mais do que nunca, tornou-se um símbolo global. Dificilmente, há pessoas que restrinjam um nome a fronteiras. Na verdade, nunca houve barreiras, os nomes sempre foram mundiais. Vejamos nós, brasileiros, oriundos de inúmeros povos e com ligações a tantos ancestrais. Os nomes de origem indígena local são usados, mas temos atrás de nós o império luso, o império romano, a cultura francesa, a cultura saxônica, a germânica, a nórdica, a japonesa e tantas outras.

Não há o nome puro brasileiro, há somente os mais usados aqui, ali. O nome sofre as influências do modismo, em virtude de alguém, com um nome bonito, se sobressair no panorama do momento. Sou professor há mais ou menos 40 anos e tenho sentido o drama de um nome exótico, maravilhas dos pais e terror dos filhos. É muito importante que a pessoa tenha um nome do qual possa sentir orgulho, quer pelo significado, quer pelo som transmitido a quem o ouve. Desse problema, surgido dos nomes estranhos, nascem os apelidos, muitos deles muito sonoros e agradáveis.

Os povos de origem inglesa usam as formas reduzidas dos nomes, para simplificar, e isso se impôs tanto que, hoje, já se registra a criança com a forma reduzida, não mais com o nome completo. Deve ficar, contudo, bem claro que um nome é uma marca e dura para a vida toda.

Prof. Alfredo Scottini

Sumário

Notas explicativas 11
Bibliografia 287
Pequeno glossário 288

MENINAS

a 15
b 26
c 30
d 39
e 45
f 53
g 56
h 62
i 66
j 71
k 75
l 77
m 84
n 93
o 98
p 101
q 105
r 106
s 111
t 118
u 121
v 122
w 125
x 126
y 127
z 128

MENINOS

a 133
b 151
c 158
d 167
e 174
f 183
g 188
h 195
i 203
j 207
k 214
l 217
m 224
n 232
o 238
p 245
q 251
r 252
s 260
t 268
u 273
v 275
w 279
x 282
y 283
z 284

Notas explicativas

Os nomes são comuns ao mundo todo, pois somos filhos de culturas iguais, ou parecidas. O grande fornecedor de nomes, em primeiro lugar, é a Bíblia; depois, os romanos, os gregos, os germânicos. Há, porém, vários nomes que formam uma família imensa de variantes, como Maria e João, só para citar dois. Desses, derivam-se muitos e até com formas diferentes. Cada um pode escolher o que melhor lhe soar, o que melhor lhe disser ao coração.

Tudo é uma questão de gosto e bom senso. Talvez, a pessoa não encontre o nome nesta longa lista que elaborei, pois alguém foi criativo e o inventou, nesse caso, é bom procurar um nome fundamental e encontrar como se formou a variante. A fertilidade da imaginação das pessoas, por vezes, é muito criativa, mas nunca a tal ponto que não possa desdobrar os componentes de um nome e dar-lhe o sentido exato.

Afinal, todos nós somos o resultado de uma mistura muito grande de culturas e povos, sendo bombardeados, diariamente, com milhares de informações — algumas úteis e muitíssimas inúteis. É essencial que se goste do próprio nome e que se dê a ele o valor que merece.

Dicionário de Nomes

MENINAS

Abigail - de origem hebraica, significa "alegria dos pais, fonte de felicidade". Diminutivos ingleses: Abbie / Abby / Gail.

Acácia - nome de uma planta, provavelmente significando imortalidade e ressurreição.

Acantha - **Acanta** - de origem grega, significa "espinhosa, espinhenta, cheia de espinhos".

Acedriana - junção dos nomes Ace com Adriana.

Aci - de origem tupi-guarani, significa "mãe"; pode ser também abreviação de Acir / Joacir / Moacir.

Acidália - de origem grega, significa "aquela que dá cuidados, a encarregada"; atributo da deusa Vênus.

Açucena - de origem árabe, é nome de uma flor branca, muito aromática; variante de Susana.

Ada - **Adah** - forma diminutiva de Adela. Pela origem hebraica, significa "beleza, adorno"; do germânico, "venturosa, abençoada"; do grego, "púdica, respeitosa".

Adabele - **Adabelle (ing.)** - formação obtida com a junção dos nomes Ada e Belle, significa "bela, cheia de alegria". Possui como variantes Adabel / Adabela / Adabella.

Adalgisa - de origem teutônica, significa "lança nobre".

Adalia - de origem germânica, nome usado nas tribos mais recentes dos Saxões.

Adalzira - de origem germânica, significa "enfeite nobre".

Addie - **Addy** - diminutivo inglês de Adelaide.

Adela - **Adelia** - **Adélia** - esse nome possui algumas variantes, todas abreviações do nome Adelaide: Adele (fr.) / Adèle (fr.) / Ethel.

Adelaide - **Adelaida (esp.)** - de origem germânica, significa "nobre pelo nascimento, de estirpe nobre"; abreviatura inglesa: Heidi; diminutivo espanhol: Aida.

Adelcisa - variante italiana para Adalgisa.

Adèle - forma francesa de Adelaide.

Adélfia - **Adelpha (ing.)** - **Adelphia (ing.)** - de origem grega, significa "eternamente amiga do gênero humano".

Adelina - **Adeline (fr./ing.)** - de origem germânica, significa "amiga da nobreza"; diminutivo: Aline.

Adelinda - de origem germânica, significa "serpente nobre".

Adelita - diminutivo de Adélia.

Adi - **Ady (ing.)** - **Addie (ing.)** - **Addy (ing.)** - diminutivos de Adelina.

Adila - **Ádila** - **Adília** - de origem germânica, variante de Adela / Adelia / Adélia / Odila.

Adina - de origem hebraica, significa "sensível, afável, madura, voluptuosa"; variantes: Adena / Adine / Dina.

Adinolfa - **Adolfina** - variantes italianas femininas de Adolfo.

Adora - de origem latina, significa "adorado" e "amado presente".

Adorabela - **Adorabella (ing.)** - "magnífico presente"; combinação dos nomes Adora e Bela.

Adriane - **Adriana** - **Adrianne (ing.)** - **Adrienne (fr./ing.)** - formas femininas de Adriano.

Aeda - variante de Ada.

Afra - variante de Aphra; de origem latina, significa "africana".

Africana - variante de Afra.

Agar - de origem hebraica, significa "fuga, fugitiva", em função de ser a escrava do patriarca Abraão e que fugiu para o deserto com o filho Ismael.

Ágata - **Agate (ing.)** - **Agatella (it.)** - **Agatha (ing.)** - **Agathé (gr.)** - **Agatina** - de origem grega, significa "boa, honesta"; diminutivos ingleses: Aggie / Aggy; variante: Águeda.

Agda - variante de Ágata.

Agenora - variante feminina para Agenor.

Agostina - **Augustine (ing.)** - forma diminutiva de Augusto; nome propagado a partir de Santo Agostinho de Hipona.

Aglaê - **Aglaé** - **Aglaia** - **Aglaía** - **Aglaci** - de origem grega, significa "esplendor".

Aglea - **Agléia** - variantes de Aglaê.

Agnes - **Agnese (it.)** - de origem grega, significa "pura, santa, cordeirinha". Variantes: Agnès (fr.) / Inés (esp.). Em inglês, há os diminutivos Aggie / Aggy / Agneta / Nessa / Nessie.

Agripa - de origem latina, significa "que deu à luz com muito trabalho, que nasce pelos pés".

Agripina - de origem latina, significa "que nasceu pelos pés, de parto difícil"; derivado de Agripa.

Águeda - variante de Ágata.

Aída - de origem grega, significa "pudor, prudência, vergonha, pejo"; variante de Ada.

Aidê - **Aide** - variante de Haidê.

Aileen - variante de Eileen; ver Helena.

Ailsa - de origem gaélica, significa "fada, ser feérico, do mundo das fadas".

Ailsie - ver Alice.

Aimé - **Aimée** - do francês Ami, significa "amada"; variante: Aymée.

Aine - variante gaélica de Ana.

Airalda - variante feminina de Aroldo / Haroldo.

Aixa - **Aisha** - de origem árabe, significa "vivente". Era o nome da favorita de Maomé, foi nos braços dela que ele morreu. Variantes: Ayesha / Ayeisha.

Alaíde - variante de Adelaide.

Alana - **Alanna (ing.)** - **Alannah** - forma feminina de Alan; variante: Lana.

Alarice - feminino inglês de Alarico; variantes: Alarica / Alarise.

Alba - **Albanina** - de origem latina, significa "aurora, pérola; algo branco".

Alberta - **Albertina** - forma feminina de Alberto.

Albina - **Albin (ing.)** - de origem latina, significa "branco, esbranquiçado"; variantes: Albínia / Alvina / Aubina / Aubine (fr.).

Alcesta - de origem grega, significa "força, poder, resistência".

Alcestina - forma diminutiva de Alcesta.

Alcida - forma feminina de Alcides.

Alcina - variante feminina de Alcino. Em grego, significa "forte, forte de mente".

Alcione - **Alcyone (ing.)** - feminino de origem grega, significa "o que vive no mar". Variantes em inglês: Halcyon / Halcyone.

Alcisa - variante italiana de Adalgisa.

Alda - de origem germânica, "sábia e rica". Variantes em inglês: Eada /Elda.

Alderina - **Aldina** - variantes italianas para Alda.

Aleandra - variante de Leandra.

Alejandra - **Alejandrina** - **Sandra** - formas espanholas femininas para Alexandre e derivados.

Alessia - **Alésia** - **Alessina** - variantes italianas femininas de Aleixo.

Alethea - de origem grega, significa "a verdade".

Alessandra - variante italiana do nome Alexandra.

Aletta - **Alete** - variante de Alethea ou forma diminutiva de "asa", em latim.

Alexandra - de origem grega, significa "que resiste aos homens, que se defende dos homens, protetor do gênero humano". Variante diminutiva: Alexa; formas diminutivas em inglês: Sandra / Sondra / Xandra / Xandrine / Zandra ; em português: Shana / Xana.

Alexandrina - forma diminutiva de Alexandra.

Aléxia - forma diminutiva, variante feminina de Alexandre.

Alexsandra - variante feminina de Alexandre.

Alfia - **Alfina** - de origem italiana, significa "alvo, albo, branco".

Alfonsa - **Alfonsina** - **Alphonsina (ing.)** - **Alphonsine (ing.)** - forma feminina de Alfonso.

Alfreda - **Alfrida** - variante feminina de Alfredo, com as seguintes variantes: Alfredina / Elfreda / Elfreida / Elfrida / Elga / Elva / Freda.

Algia - **Argia** - variante italiana de Alger.

Alice - **Alicia** - de origem grega, significa "autêntica, verdadeira". Variantes em inglês: Alys / Alyssa; em português: Célia / Ciléia / Elci / Elsa / Elsie / Elza.

Alícia - variante de Alice; variantes: Licia / Lili.

Álida - de origem latina, significa "pequena ave". Forma húngara de Adelaide, com variantes: Aleda / Aleta / Alita e diminutivos: Leda / Lita.
Alienora - variante de Eleonora.
Alima - de origem árabe, "instruída em música e dança".
Alina - Aline (fr./it.) - variante de Adeline.
Alindréia - de origem e significado desconhecidos.
Aline - forma reduzida de Adeline.
Aliocha - diminutivo feminino de Aleixo.
Alis - Aliz - variante de Alice.
Allie - Ally - formas diminutivas de Alice / Álison.
Alita - de origem árabe, tradução do nome Vênus; variantes: Alite / Ailita.
Alma - de origem latina, significa "que cria, que nutre".
Alméria - de origem árabe, significa "princesa".
Almerica - Almeriga - variantes italianas femininas de Arrigo / Enrico.
Almerinda - variante feminina de Almério.
Almina - variante de Alma.
Almira - de origem árabe, significa "sublime, excelso".
Almudena - de origem árabe, significa "cidade pequena".
Altamira - de origem germânica, significa "antigo e sabido"; forma variante de Adelmar.
Altéia - Althea (ing.) - de origem grega, "que cura, que faz o bem". Diminutivo inglês: Thea; português: Téi / Téia.
Alvani - Alvâni - variantes femininas de Albano.
Álvara - Alvarina - de origem germânica, significa "muito atento".
Alvina - de origem germânica, significa "amigo nobre e fiel"; diminutivo: Vina.
Alvira - de origem germânica, significa "nobre amiga".
Alys - Alyssa - variantes inglesas de Alice.
Alzena - de origem árabe, significa "cheia de charme e virtude".
Alzira - de origem germânica, significa "harmonia e beleza".
Amabel - de origem latina, significa "a louvável". Forma diminutiva: Mabel.

Amábile - Aimable (fr.) - de origem latino-italiana, significa "amável".

Amadea - Amadia - variantes italianas femininas para Amadeu, significa "quem ama a Deus".

Amália - de origem germânica, significa "trabalhadora, ativa". Variante: Amélia; diminutivo: Amalina.

Amaltéia - Amaltea - de origem na mitologia grega.

Amanda - de origem latina, "aquela que deve ser amada, digna de ser amada"; variantes: Amandina / Mandy.

Amandina - forma derivada de Amanda.

Amariah - de origem hebraica, "a prometida por Jeová".

Amarília - variante de Amarílis.

Amarílis - de origem grega, pode significar "brilhante" ou "nome de uma planta".

Ambrogia - Ambrosia - formas italianas para Ambrósia.

Ambrósia - de origem grega, significa "imortal".

Ambrosina - forma diminutiva para Ambrósia.

Ambrosine - forma inglesa para Ambrósia; variantes: Ambrósia / Ambrosina.

Amélia - Amélie (fr.) - variante de Amália.

Amelina - Amelita - variantes italianas de Amélia.

Amelinda - de origem espanhola, significa "bela e amada"; variantes: Amalinda / Amelinde.

América - Ameriga (it.) - de origem germânica, significa "princesa trabalhadora"; diminutivos: Mérica / Merica.

Amina - de origem árabe, significa "fiel". A mãe de Maomé tinha o nome de Amina.

Amparo - nome feminino de origem latina, significa "amparar, ajudar, dar a mão, proteger".

Amy - de origem no velho francês, significa "amiga, amada".

Ana - Ann - Anna - Hannah (heb.) - de origem hebraica, significa "cheia de graça". Diminutivos: Aina / Anaïs / Anete / Anette / Aninha / Anita / Annie / Annina / Anouk / Anuska (rus.) / Nan / Nancy / Nanny / Nina.

Anabela - de origem do nome inglês Annabel, vindo de Amábile, "amável", derivando Annabel e Annabelle. Pode ser apenas a junção de Ana com Bela.

Anadricéia - junção de Ana com Adri, anexo ao sufixo "éia".

Analu - junção do nome Ana com a forma reduzida Lu, de nomes que começam Lu, tais como Lúcia, Luísa, Luzia e outros.

Anamaria - junção dos nomes Ana com Maria.

Anastácia - Anastasia (ing.) - Anastasie - de origem grega, significa "aquela que renasce, ressuscitada". Formas diminutivas em inglês: Stacey / Stacie / Stacy / Stasia.

Anatólia - Anatole (fr.) - Anatholia (ing.) - de origem grega, significa "oriente, aurora".

Andina - referente aos Andes.

Andréia - Andrea (esp.) - Andrée (fr.) - Andreína (it.) - Andrina (ing.) - Andrine (ing.) - Andresa - Andreza - Andrezza - formas femininas de André.

Andrômaca - de origem grega, significa "aquela que luta".

Aneci - de origem francesa, significa "encantadora, cheia de encantos".

Anésia - de origem grega, significa "aquela que está repousando, descansando".

Anete - de origem francesa, é uma forma diminutiva para Ana.

Angel - forma diminutiva de Ângela, em inglês.

Ângela - Angele - variantes femininas do nome Ângelo.

Angeli - variante de Ângela.

Angélica - de origem grega, significa "pura, igual a um anjo".

Angelina - Angeline - formas diminutivas de Ângela.

Angelita - variante de Ângela; variante diminutiva: Lita.

Angy - forma inglesa de Ângela.

Angiola - Angiolina - variantes italianas de Ângela.

Ani - forma diminutiva espanhola de Ana.

Anícia - variante de Ana.

Aninha - variante diminutiva de Ana.

Anísia - de origem grega, significa "perfeito, total".

Anita - forma diminutiva de Ana.

Anne - **Ann (ing.)** - forma francesa de Ana.
Annecy - variante de Nanci / Nacy.
Anneka - forma diminutiva alemã de Ana.
Annemarie - junção de Ana e Maria, em inglês ou francês.
Annette - forma diminutiva francesa de Ana.
Annika - forma diminutiva sueca de Ana.
Annis - **Annice** - forma diminutiva medieval de Agnes.
Annunciata - **Annunziata** - variante italiana de Anunciação.
Anselma - de origem germânica, significa "aquela a quem os deuses dão a proteção, o elmo".
Antéia - **Anthea (ing.)** - de origem grega, significa "florida".
Antígona - **Antígone** - de origem grega, significa "que é contra" ou "de geração nobre"; heroína de um drama de Sófocles.
Antonella - variante italiana para Antônio.
Antônia - **Anthony (ing.)** - **Antocha (rus.)** - **Antoine (fr.)** - **Anton (ger.)** - **Antony (ing.)** - **Anty (ing.)** - **Tony (ing.)** - de origem controversa, se derivado do latim, significa "inestimável, louvável, admirável". Formas diminutivas: Tonha / Toni / Totonha; do inglês: Ton / Toni / Tonia / Tonie / Tony; do italiano: Toni / Tonia / Nina.
Antonina - **Antoniana** - variantes femininas de Antônio.
Antonieta - **Antonietta** - **Antoinette (ing./fr.)** - variantes de Antônia.
Anúncia - forma variante de Anunciada.
Anunciação - de origem latina, com sentido religioso, significa "anunciar, comunicar, transmitir".
Anunciada - **Anunciata** - **Annunziatta (it.)** - de origem italiana, significa "que foi comunicada, dita".
Anwen - de origem gaélica, significa "muito bonita".
Aparecida - nome originado do topônimo Aparecida. Pode significar "a que apareceu", referindo-se à estátua de Nossa Senhora pescada na cidade de mesmo nome. De modo geral, vem precedido do nome Maria. Formas diminutivas: Cida / Cidinha.
Aphrodite - **Afrodite** - **Vênus** - deusa do amor entre gregos e romanos.

Apolônia - Apollonia (it.) - de origem grega, significa "consagrada a Apolo".

Aquilino - de origem latina, significa "próprio da águia".

Arabela - Arabella (it.) - de origem latina, significa "belo altar, pedra sagrada e bela". Variantes em inglês: Arabel / Arbel / Bel / Bell / Bella / Belle.

Aracê - do tupi, variante de Aracema.

Aracéli - de origem latina, significa "o altar do céu"; nome comum na Itália.

Aracema - de origem tupi, significa "aurora" ou "bando de papagaios".

Araci - de origem tupi, significa "mãe do dia, Sol, aurora, estrela da manhã"; variante: Coaraci.

Araí - de origem tupi, significa "tempestade"; abreviação do nome Araíba.

Aralda - variante feminina de Aroldo / Haroldo.

Arani - Arany - de origem tupi, significa "tormenta, mau tempo".

Arari - de origem tupi, significa "arara vermelha, canindé".

Arduína - de origem germânica, "amiga certa, ousada, valente".

Areta - Aretha (ing.) - de origem grega, significa "excelentemente virtuosa".

Aretusa - nome de ninfa na mitologia e comum às mulheres.

Argenta - de origem latina, significa "pratas, tudo que é de prata".

Argentina - de origem latina, significa "de prata, feito de prata, próprio da prata". Entre os romanos, era o deus das moedas de prata, conforme a mitologia.

Ariadna - Ariadne - Arianna (it.) - Arianne (fr.) - de origem grega, significa "muito santa, santíssima". Nome da filha de Minos, rei de Creta, e que forneceu a Teseu o fio para sair do Labirinto, derivando daí a expressão "fio de Ariadne".

Ariana - de origem grega, do deus da guerra, Ares, "o mesmo que Marte"; ou, dos arianos, "povo branco do interior da Ásia que povoou a Germânia".

Arides - Arrides - de origem latina, "grande destruidora".

Arícia - de origem grega, faz parte da mitologia helênica.

Aricina - apelido de Diana, a deusa da caça.

Ariela - **Ariella (ing.)** - **Arielle (ing.)** - **Arietha** - variante feminina de Ariel.

Arilda - variante feminina de Haroldo.

Aristéia - de origem grega, significa "ótima, a melhor".

Aristidina - de origem grega, significa "brilhante pelos antepassados".

Arlene - forma feminina de Arlen, com as variantes: Charlene / Marlene. Outras variantes: Arleen / Arlena / Arlina / Arline / Arlyne.

Arlete - de origem gaélica, significa "penhor"; variante de Arlene.

Arlina - variante de Arlene.

Armanda - **Armand (ing.)** - forma francesa de Herman.

Armandina - forma diminutiva de Armanda.

Armele - **Armelle (ing.)** - **Armilla (ing.)** - variantes femininas de Armel.

Armida - **Ármide** - é o nome de uma bruxa belíssima, personagem da epopeia italiana Jerusalém Libertada, de Torquato Tasso.

Armina - **Armine** - **Armínia** - de origem germânica, significa "poderosa, potente".

Arnalda - **Arnaldina** - **Arnolda** - de origem germânica, significa "quem governa como uma águia".

Arriga - forma italiana de Henrique.

Arsilia - variante italiana de Ersília.

Artêmide - variante de Ártemis.

Ártemis - de origem grega, significa "são, saudável"; deusa grega da caça, correspondente ao nome romano Diana. Variante: Artemísia.

Asélia - de origem latina, significa "jumentinha, burrinha, asninha".

Astéria - de origem latina, significa "brilhante como um astro".

Assunção - **Assunta (it.)** - **Asunción (esp.)** - de origem latina, significa "ser carregada para cima".

Assunta - de origem latina e do italiano, significa "aquela que foi levada para o alto, para os céus"; vem de "Maria Assunta in cielo" (Maria levada aos céus).

Asta - de origem germânica, significa "segurança, proteção". Variante de Ástride.

Astra - forma diminutiva de Ástride.
Ástride - **Astrid (ing.)** - **Astride** - de origem sueca, significa "protegida pelos deuses".
Asunción - **Asunta** - de origem latina, significa "subir, atrair".
Átala - de origem grega, significa "ternura".
Atalanta - **Atalante (ing.)** - **Atlanta** - de origem grega, nome mitológico grego.
Atalia - de origem hebraica, significa "Javé é grande, elevado".
Atanásia - de origem grega, significa "o imortal, o eterno".
Audrey (ing.) - de origem no velho inglês, significa "poder nobre".
Augusta - de origem latina, significa "majestosa, sublime, consagrada, excelsa". Variantes: Augustine / Guta; no inglês: Gus / Gussie / Gusta.
Aura - **Aure (ing.)** - de origem latina, significa "brisa, vento brando, zéfiro".
Áurea - de origem latina, significa "feita de ouro, dourada"; variante em inglês: Auria.
Aurélia - **Aureliana** - **Aurelie** - **Aurélien (fr.)** - **Aurélienne (fr.)** - de origem latina, significa "de ouro, dourado, brilhante".
Aurora - **Aurore** - de origem latina, significa "alvorecer, o nascer do dia".
Auta - de origem grega, significa "com condições, forças próprias".
Auxiliadora - adaptação do nome Maria Auxiliadora; diminutivo Dora(ô).
Ava - de origem incerta, nome já encontrado no início da Idade Média.
Avani - **Avany** - forma variante de Ava.
Avelia - **Avelina** - **Aveline (ing.)** - **Evelina** - formas femininas de Avelino.
Avena - de origem latina, nome de uma flauta pastoril.
Avera - **Averah** - de origem hebraica, significa "transgressora".
Azalea - **Azaléia** - de origem grega, significa "seco, árido".
Azura - **Azure** - de origem francesa, significa "azul como o céu".

Bab - **Babel** - **Babs** - formas diminutivas inglesas de Bárbara.
Babette - forma diminutiva de Bárbara / Isabel.
Bábi - variante de Bárbara.
Bagheera - nome da pantera-negra no Livro da Jângal, de Rudyard Kipling.
Balbina - forma feminina de Balbino.
Balda - **Baldina** - variantes femininas de Baldovino.
Baldomera - de origem germânica, significa "ilustre audaz".
Balduína - forma feminina de Balduíno.
Balsamina - **Balsâmina** - nome de uma planta cujas flores se abrem com várias cores.
Bambi - nome feminino derivado do termo italiano "bambino" (criança).
Bárbara - de origem grega, significa "forasteira, estrangeira". Variante em inglês: Barbra; formas diminutivas inglesas: Bab / Babbie / Babs / Barbie.
Barbarina - **Barbe** - variantes de Bárbara.
Bartira - de origem tupi, significa "flor".
Basiléia - forma feminina de Basileu / Basílio.
Basília - **Basilicea** - forma feminina de Basílio.
Basilissa - de origem grega, significa "rainha".
Bathsheba - de origem hebraica, significa "filha da abundância".
Batilde - **Bathilda (ing.)** - **Bathilde (fr.)** - de origem germânica, significa "comandante da batalha".
Batistina - **Battistina (it.)** - variantes de Batista.
Bea - **Bia** - forma diminutiva de Beatriz.

Beata - de origem latina, significa "abençoada, beatificada, santa".

Beatriz - **Beatrice (it.)** - **Beatrix (ing.)** - **Beta (lat.)** - **Bieatrisa (rus.)** - de origem latina, significa "abençoada, bem-aventurada". Nome que ficou famoso através da Divina Comédia, de Dante Alighieri, pois assim se chamava sua mulher amada e foi quem o guiou em sua viagem pelo paraíso. Diminutivos: Bea / Bia; em inglês: Beatie / Beaty / Bee / Bice (it.) / Trix / Trixie.

Beba - variante italiana para Elisabete / Elisabetta.

Bebiana - forma variante de Viviana.

Bel - variante para Isabel / Isabella.

Bela - **Bella** - de origem latina, significa "linda"; é forma diminutiva de Isabel / Isabela.

Belen - de origem hebraica, significa "casa do pão"; variante: Belinda.

Belina - **Béline (fr.)** - de origem germânica, significa "escudo do guerreiro".

Belisa - forma espanhola coloquial de Isabel; é um anagrama.

Belita - diminutivo espanholado de Bela.

Bella - forma diminutiva italiana para Arabella / Bárbara / Elisabetta / Isabella.

Belmira - de origem germânica, significa "atrevida"; do árabe, "filha de príncipe".

Belona - de origem latina, "irmã", "esposa" ou "ama do deus Marte".

Bena - de origem hebraica, significa "sábia".

Benedita - **Benedetta (it.)** - **Benedicta (ing.)** - forma feminina de Benedito; diminutivo inglês feminino: Dixie; diminutivo em português: Bené.

Benícia - de origem latina, significa "muito bondosa".

Benigna - de origem latina, significa "aquela que é bondosa, indulgente".

Benvenuta - forma italiana para Benvinda.

Benvinda - de origem latina, significa "a que é bem recebida, a bem chegada".

Berenice - de origem grega, significa "a que traz a vitória"; variante de Verônica.

Berdine - de origem germânica, significa "brilhante, vencedora".

Bernadete - **Bernadette** - **Bernardete** - formas variantes femininas de Bernardo.

Bernardina - diminutivo feminino de Bernardo.

Bernice - variante inglesa para Berenice.

Berta - **Bertha (ing.)** - **Berthe (fr.)** - **Bertin (esp.)** - de origem germânica, significa "brilhante, vitoriosa". Em italiano, usa-se como forma reduzida de Alberta / Gilberta / Humberta / Lamberta.

Bertilda - **Berthilda (ing.)** - **Berthilde (ing.)** - de origem germânica, significa "brilhante guerreira".

Bertina - variante de Berta.

Bess - **Besse** - **Bessie** - **Bessy** - diminutivos ingleses de Elisabete.

Beta - **Betsy** - **Betta** - **Bette** - **Bettina** - **Betty** - variantes diminutivas de Elisabete.

Betânia - **Bethânia** - **Bethany (ing.)** - localidade bíblica, perto de Jerusalém, de origem aramaica e que significa "casa da pobreza".

Bete - **Béti** - **Beth (ing.)** - de origem no aramaico, significa "casa". É variante reduzida de Elisabete.

Bethan - forma diminutiva de origem gaélica para Elisabete.

Betina - **Bettina (it.)** - forma reduzida de Elisabete ou de Isabel.

Beula - **Beulah** - de origem hebraica, significa "casada".

Bianca - **Blanca (esp.)** - **Blanch (ing.)** - de origem italiana, significa "branca".

Bibi - forma reduzida de Bibiana.

Bibiana - variante de Viviana.

Bice - forma reduzida de Beatrice / Beatriz.

Biddy - forma reduzida de Brígida.

Bilu - apelido para substituir vários nomes, entre eles, Emília.

Bina - **Binah** - **Bine** - de origem hebraica, significa "abelha"; no italiano, é forma reduzida de Albina / Sabina.

Birgit - **Birgitta** - forma feminina sueca do nome inglês Bridget; diminutivo Britt.

Blanca - forma espanhola para Branca.

Blanda - de origem latina, significa "afável, carinhosa, meiga".

Blandícia - de origem latina, significa "meiguice, afabilidade, carinho".

Blandina - **Blandine** - forma variante de Blanda.

Blenda - **Brenda** - de origem germânica, significa "encantadora, maravilhosa".

Blitilde - de origem germânica, rainha dos gauleses de morte trágica.

Blodwen - de origem galesa, significa "flor branca".

Blumenau - sobrenome de origem germânica, significa "campina florida, campo cheio de flores".

Bona - **Bone** - **Bono** - nome feminino italiano de origem latina, significa "bondosa, magnânima"; nome de muitas princesas italianas, inclusive da casa real de Savóia.

Bonina - de origem latina, significa "boazinha". É nome de uma flor.

Bonita - de origem latina, significa "boa e bela, de beleza externa e interior".

Bonnie - **Bonny** - formas diminutivas em inglês de Bonita.

Branca - de origem do latim medieval, significa "reluzente, cândida".

Brasília - adjetivo derivado de Brasil.

Brasilina - próprio do pau-brasil, do Brasil.

Breda - de origem céltica, significa "ar" ou "aparência nojenta".

Brenda - **Brandán** - de origem norueguesa, significa "espada".

Brenna - de origem gaélica, significa "a beleza de um corvo desgrenhado".

Bridget - forma inglesa para Brígida. Diminutivos: Biddy / Bride / Bridie / Brigid / Brigitte / Britt.

Brígida - **Bridget (ing.)** - **Brigid (ing.)** - **Brigitte (fr.)** - de origem céltica, significa "força, o fogo de Deus".

Brita - **Britta (it.)** - de origem céltica, significa "forte".

Britt - forma inglesa reduzida de Brigite / Brígida.

Brunilda - **Brunhilda** - **Brunhilde** - de origem germânica, significa "protegida pela armadura, guerreira que usa armadura"; foi uma das Valquírias.

Bruna - **Brunella** - de origem germânica, significa "brilhante"; mas, também, "escura, morena, bronzeada".

MENINAS

C

Cacilda - de origem germânica, significa "lança de combate"; variante: Cassilda.

Caddie - forma reduzida em inglês de Carol / Carola / Carole / Caroline / Carolyn.

Caia - de origem latina, significa "feliz, gaia, alegre".

Caitlin - **Caitrin** - formas gaélicas de Catarina.

Cal - forma reduzida de Calandra.

Calandra - **Calandre (fr.)** - **Calandria (esp.)** - de origem grega, significa "cotovia".

Calanta - **Calantha (ing.)** - **Calanthe (ing.)** - de origem grega, significa "flor bela, formosa flor". Formas reduzidas em inglês: Cal / Callie / Cally.

Calidora - de origem grega, significa "presente, oferta, dádiva formosa".

Calina - de origem grega, significa "espirituosa".

Calíope - de origem grega, significa "rosto, face formosa" ou "musa da eloquência, da arte de bem falar".

Calu - variante, como apelido, para Carolina.

Calvina - de origem latina, significa "calva".

Camélia - nome de um arbusto que floresce, possui o nome em honra de quem a introduziu na Europa, o padre jesuíta Cameli.

Camila - **Camilla (it./ing.)** - **Camille (fr.)** - de origem latina, "jovem atendente no cerimonial do sacrifício".

Candace - **Candice** - de origem grega, significa "soberana, majestosa". Formas reduzidas: Candi / Candy.

Cândida - **Candide** - de origem latina, significa "branca, imaculada, brilho branco". Formas reduzidas em inglês: Candie / Candy.

Cantídia - de origem latina, talvez com raízes no etrusco, é desconhecido o seu significado.

Capitolina - de origem latina, significa "que é adorado no monte Capitólio".

Capitu - de origem tupi, nome de uma planta; nome da personagem criada por Machado de Assis em Dom Casmurro.

Cara - de origem gaélica, significa "querida, amada, carinhosa"; variante italiana: Carina.

Caridade - de origem grega, significa "amor desprendido, amor pelo amor, amor para com o próximo".

Carina - de origem gaélica, significa "querida, carinhosa, amada"; forma reduzida de Catarina; também, "pura, brilhante".

Cárita - **Caridad (esp.)** - **Cáritas** - de origem grega, significa "amor ao próximo, amor por amor".

Carla - forma feminina de Carlos. Variantes: Carol / Carlie / Carley / Carly.

Carlinda - variante feminina de Carlo / Carlos.

Carlota - **Carlotta (it.)** - variante diminutiva de Carlos.

Carmelina - variante diminutiva de Carmelo.

Carmelinda - variante de Carmelina, pela troca do sufixo.

Carmelita - forma diminutiva de Carmela.

Carmela - **Carmel (ing.)** - de origem hebraica, significa "jardim, vinha de Deus".

Carmem - **Carmel (ing.)** - **Cármen (esp.)** - **Carmina** - **Menchu** - de origem latina, significa "poema, poesia, criação poética, certame literário", ou, apenas, variante de Carmela. Diminutivos: Carmencita / Carminda / Carmita.

Carmencita - forma diminutiva espanhola de Cármen.

Carmina - **Cármina** - variante de Cármen.

Carmo - forma variante de Carmelo, usada, sobretudo, como Maria do Carmo.

Carol - **Karol** - forma diminutiva feminina de Carlos, hoje mais usada para Carolina.

Carolina - **Caroline** - forma diminutiva feminina de Carlos. Outras variantes em diversos idiomas: Caddie / Caro / Carol / Carola / Carole / Caroline / Carolyn / Carolyne / Carrie.

Cárula - **Carula** - variante de Carla / Carolina.

MENINAS

Carwyn - de origem galesa, significa "abençoado amor".

Cass - forma diminutiva de Cassandra, bem como de Cassidy.

Cassandra - de origem grega, significa "protetora dos homens" ou "aquela que se inflama com amor". Na mitologia grega, era uma profetisa em cujas profecias ninguém acreditava. Diminutivos: Cass / Cassie.

Cassidy - de origem gaélica, significa "elevado"; forma variante de Cássio.

Cassilda - **Cacilda** - de origem germânica, significa "quem luta com lança".

Cássia - **Cassian (ing.)** - de origem latina, significa "ilustre, notável"; diminutivo em inglês: Cass.

Castelinda - aglutinação da palavra "castelo" com a palavra "linda".

Castorina - variante feminina de Castor.

Catalina - **Cathy** - **Karen** - **Katia** - de origem grega, significa "pura"; variante de Catarina em espanhol.

Catarina - **Caterina (it.)** - **Catharina (ing.)** - **Catharine (ing.)** - **Catherine (fr.)** - de origem grega, significa "pura, imaculada". Variantes diminutivas inglesas: Cath / Cathie / Cathy; portuguesas: Cate / Kate.

Cátia - **Katya (ing.)** - variante diminutiva de Catarina em russo.

Catrin - forma galesa de Catarina.

Catriona - forma antiga escocesa de Catarina.

Cauana - variante feminina de Cauê.

Cecca - forma diminutiva italiana de Francesca.

Cecchina - forma feminina italiana e diminutiva de Francesco.

Ceci - **Cecy** - de origem tupi, significa "minha mãe"; José de Alencar, no romance O Guarani, traduz como "magoar, doer".

Cecília - **Cecil (ing.)** - **Cécile (fr.)** - **Cecily (ing.)** - de origem latina, significa "ceguinha, cega", até por isso, Santa Cecília, além de padroeira da música, é padroeira dos cegos. Variantes: Ceci / Ci / Ciça / Cissa; variantes inglesas: Celis / Cis / Cissie / Cissy.

Celeste - **Celesta** - de origem latina, significa "celestial, próprio do céu, cor do céu".

Celestina - **Celestin** - **Celestine** - variante de Celeste; "um habitante do céu".

Célia - de origem latina, há os que dizem ser derivado de Celeste, outros de Cecília.

Celina - **Céline (fr.)** - de origem latina, forma diminutiva de Célia ou forma derivada de Selene; em latim, significa "lua".

Celita - forma derivada de Célia.

Cely - **Celi** - variantes de Celeste.

Cenza - **Censina** - variantes femininas italianas de Vincenzo.

Cerélia - variante de Ceres.

Ceres - de origem latina, era o nome da deusa da agricultura, correspondente em grego a Démeter, por extensão, "semente, grão".

Ceri - **Céri** - de origem galesa, significa "amor"; variantes Cerian / Cerys.

Cesarina - **Cesarita** - formas femininas derivadas do nome César.

Cetta - **Cettina** - formas diminutivas de Concetta.

Chagas - nome derivado das chagas provocadas em Jesus Cristo pela crucificação.

Chana - variante diminutiva de Alexandra.

Chandra - de origem sânscrita, significa que "o luar brilha mais que as estrelas".

Chantal - derivado do nome de uma cidade francesa, tornou-se famoso através de Joana Frémyot de Chantal, canonizada como Joana de Chantal.

Charis - de origem grega, significa "graça".

Charity - **Caridade** - **Charitas** - de origem grega, significa "generosidade, amor puro".

Charlene - forma feminina correspondente a Charles.

Charlote - **Charlotte** - forma francesa de Carlota. Diminutivos: Charlie / Charley / Lottie.

Charmaine - **Charmian** - de origem grega, significa "pequeno prazer".

Checca - forma reduzida de Francesca.

Cheila - **Sheila** - forma portuguesa de Sheyla; do antigo irlandês, variante de Cecília.

Chelsea - de origem no velho inglês, significa "local de pedra para desembarcar".

Cher - **Chérie** - de origem francesa, significa "querida, amada".

Cherry - forma reduzida de Charity.

Cheryl - de origem galesa, significa "amor".

Chiara - **Claire (fr.)** - **Clara** - do italiano, significa "clara, luzente"; a famosa Santa Clara de Assis, discípula de São Francisco de Assis e fundadora da ordem das Clarissas. Variantes: Claire / Clairette (fr.) / Clara / Clare (ing.) / Claretta / Clarice / Clarine / Clarissa / Klara (germ.).

Chimene - forma variante de Ximene, amada de El Cid.

Chiquita - de origem espanhola, significa "menininha".

Chirlei - **Shirlei** - **Sirlei** - de origem inglesa, significa "do belo prado".

Chris - **Chriss** - forma diminutiva de Cristina / Christina / Christine.

Chríssie - forma diminutiva de Christiana / Christine.

Christiana - forma feminina de Chrístian / Cristiano; variante de Christina.

Christine - **Christina** - variantes diminutivas: Chris / Chríssie / Chrístie / Chrísty / Teenie / Tina / Tine.

Ciana - forma reduzida de Luciana, em italiano.

Cibele - de origem grega, significa "filha do céu e da terra" ou "esposa de Saturno".

Cida - **Cidinha** - variantes do nome Aparecida.

Cidália - variante de Acidália.

Cila - de origem latina, significa "dilacerador".

Cilea - variante reduzida de Alice.

Cília - forma reduzida de Cecília.

Cilla - no francês, forma diminutiva de Priscila.

Cilli - **Cillia** - formas reduzidas italianas de Cecília.

Cinara - de origem grega, significa "cardo, alcachofra".

Cinderela - **Cendrillon (fr.)** - **Cenerentola (it.)** - **Cinderella (ing.)** - de origem francesa, significa "menina do borralho, menina das cinzas do fogão", ou seja, "piloto de fogão, serva da cozinha".

Cindy - **Cindie** - **Ella** - formas diminutivas de Cinderela / Cynthia / Lucinda.

Cinira - de origem grega, significa "que geme, que se lamenta"; do hebraico, "lira".

Cíntia - **Cinzia (it.)** - **Cynthia (ing.)** - de origem latina, era um dos nomes da deusa Artemis.

Circe - de origem grega, era o nome de uma feiticeira apaixonada por Ulisses.

Cirene - de origem grega, significa "nascente, fonte, manancial".

Cládis - variante de Gládis / Gládys.

Clair - variante de Clara.

Clara - **Chiara (it.)** - **Claire (fr.)** - **Clare (ing.)** - de origem latina, significa "brilhante, iluminada"; Clara foi uma santa e grande personalidade de Assis, Itália, onde fundou a ordem das Clarissas; ordem franciscana, ligada a São Francisco de Assis; é padroeira da televisão.

Clarabela - **Clarabel (ing.)** - **Clarabella (it.)** - **Clarabelle (fr.)** - combinação dos nomes Clara e Bella, ou seja, "claridade" e "beleza" juntas; variante: Claribel.

Clareta - diminutivo de Clara.

Clarice - de origem latina, significa "fama, renome"; variantes: Clara / Clarissa.

Clarimunda - de origem germânica, significa "proteção".

Clarina - forma diminutiva de Clara.

Clarinda - forma diminutiva de Clara, obtida com a combinação dos nomes Clara e Belinda ou Clara e Lucinda.

Clarissa - título dado às freiras da ordem de Santa Clara; nome derivado de Clara.

Clarisse - **Clarice** - nome derivado de Clara.

Clarita - **Clareta** - **Clarinha** - formas diminutivas de Clara.

Cláucia - variante de Gláucia.

Claudete - **Claudette (fr.)** - variante de Cláudia. Formas reduzidas: Dete / Déti.

Cláudia - **Claude (fr.)** - de origem latina, significa "manca, coxa".

Claudiana - forma feminina derivada de Cláudio.

Claudina - **Claudine** - variantes femininas de Cláudio.

Claudinéia - combinação de Cláudia com Néia.

Cleci - variante de Gleci / Glice.

Cleide - nome derivado de Gleide.

Clélia - de origem latina, significa "famosa, ilustre" e também significa "filha de cliente".

Clem - forma diminutiva de Clemátis / Clemence / Clemency / Clement / Clementina / Clementine.

Clematis - de origem grega, é o nome de uma planta que possui flores de várias cores.

Clemence - Clemência - Clemency (ing.) - de origem latina, significa "bondade, perdão, benevolência". Formas diminutivas inglesas: Clem / Clemmie.

Clementina - variante de Clemente; formas diminutivas: Cleme / Tina.

Clemenza - Clemenzia - formas italianas para Clemente.

Cleo - de origem grega, significa "glória, fama".

Cléofas - de origem grega, significa "brilhante de glória".

Cleomênia - de origem grega, significa "lua gloriosa".

Cleonice - de origem grega, significa "gloriosa na vida". Forma diminutiva: Cleo.

Cleópatra - de origem grega, significa "glória do seu pai". Nome de uma rainha do Egito, protegida por Júlio Caio César, que se suicidou ao se deixar picar por uma cobra. Forma diminutiva: Cleo.

Cleuci - variante de Cleo.

Cleusa - variante de Creusa.

Climene - de origem grega, significa "renovada".

Climênia - variante de Climene.

Clio - nome de uma das nove musas, a da História.

Clítia - de origem grega, significa "girassol".

Clódia - variante feminina de Cláudio.

Cloé - de origem grega, significa "verdejante".

Clorinda - de origem grega, significa "a verdejante"; combinação de Clóris e Belinda / Lucinda.

Clóris - Chloris (ing.) - de origem grega, significa "a deusa das flores".

Clotilde - Clothilde (ing.) - de origem germânica, significa "guerreira famosa".

Coaraci - de origem tupi, significa "mãe do dia, o Sol".

Cocota - forma abreviada de Maricota; diminutivo: Cocotinha.

Col - forma diminutiva de Colman / Columba.

Colete - **Coletta** - **Colette (fr./ing.)** - forma diminutiva de Nicole.

Colombe - forma francesa de Columba.

Colombina - nome de uma personagem de comédias; significa "pequena pomba".

Columba - de origem latina, significa "pomba". Diminutivo: Coly.

Columbina - **Columbine** - de origem latina, refere-se a pombos, pombas.

Conceição - **Concepción (esp.)** - **Concetta (it.)** - **Concetto (it.)** - de origem latina, referência à conceição de Nossa Senhora. Diminutivo em português: Ceição; em espanhol: Concha / Conchita.

Concepta - variante de Conceição.

Concetta - **Concessa** - **Concettina** - **Concetto** - formas italianas para Conceição.

Concórdia - de origem latina, significa "paz, harmonia, convivência harmônica".

Consolação - **Consolation (ing.)** - de origem latina, nome oriundo de um dos muitos atributos dados a Nossa Senhora.

Consolata - forma italiana de Consolação.

Constança - **Constance** - **Constância** - de origem latina, significa "perseverança".

Constanta - variante para Constância.

Constanza - forma inglesa de Constance / Constância.

Consuela - referência a Nossa Senhora da Consolação.

Consuelo - de origem espanhola, significa "consolação". Forma diminutiva: Consul.

Cora - de origem grega, significa "jovem, donzela, moça".

Corabela - **Corabella (ing.)** - **Corabelle (fr.)** - significa "moça bonita", pela combinação de Cora com Bela.

Corália - de origem grega, significa "virgem dos mares".

Coralina - variante diminutiva de Cora; nome de notável poetisa de Goiás.

Corazón - de origem espanhola, origina-se de "sagrado coração", no sentido religioso.

Cordélia - de origem latina, significa "calor do coração, cordialidade".

Córdula - de origem latina, significa "coraçãozinho".

Corey - de origem irlandesa gaélica, significa "boa paz".

Corina - **Corinna (ing.)** - **Corinne (ing.)** - variantes de Cora.

Coriolana - variante feminina do nome de um herói romano antigo.

Corissa - **Corísia** - de origem grega, significa "donzela, moça virgem". Variante: Corisa.

Cornélia - forma feminina de Cornélio. Diminutivos: Côni / Kony.

Corona - de origem latina, significa "coroa".

Cosima - **Cosimina** - forma feminina italiana de Cosme.

Cremilda - de origem germânica, significa "a que luta com elmo, capacete"; heroína das Valquírias. Formas reduzidas: Crê / Creme.

Crescência - de origem latina, significa "crescente, aquela que cresce".

Cressida - de origem grega, significa "ouro". Forma reduzida: Cressa.

Creusa - de origem grega, significa "princesa, rainha, soberana".

Criselda - **Griselda** - de origem germânica, significa "velha heroína".

Crispina - forma feminina de Crispim.

Cristália - de origem latina, significa "feita de cristal, tão clara como o cristal".

Cristiana - de origem grega, significa "ungida do Senhor, seguidora de Cristo".

Cristina - **Christina (ing.)** - de origem grega, significa "seguidora de Cristo".

Cynthia - de origem grega, nome de um monte na Grécia denominado Cynthus. Formas reduzidas: Cíndie / Cindy.

Cytherea - **Citérea** - **Citeréia** - **Cytheréia** - outro nome para Afrodite, Vênus.

d

MENINAS

Dácia - nome de origem grega, denominava uma região correspondente hoje à atual Romênia; feminino de Dácio.

Dafne - **Dafné** - de origem grega, significa "louro, loureiro"; uma das amadas do deus Apolo.

Dagmar - de origem norueguesa, significa "dia brilhante, dia cheio de luz".

Daisy - de origem no antigo inglês, é o nome de uma planta e possui o significado de "os olhos do dia".

Dalcisa - **Dalgisa** - variantes italianas de Adalgisa.

Dália - **Dahlia (ing.)** - de origem sueca, é o nome de uma flor de várias cores.

Dalila - **Dalilah (ing.)** - **Delila** - de origem hebraica, significa "delicada, lânguida, dócil".

Dalina - variante de Idalina.

Dalma - variante de Dalmácia.

Dalmácia - natural da Dalmácia, região do império romano, atualmente Iugoslávia.

Dalmira - de origem germânica, variante feminina de Delmiro, significa "nobre, ilustre, notável".

Dalva - de origem latina, significa "a estrela da manhã, a aurora".

Dalvina - forma diminutiva de Dalva.

Dalziza - adulteração gráfica de Adalgisa.

Damarina - de origem hebraica, significa "mulher nanica, baixinha".

Damaris - de origem grega, significa, possivelmente, "novilha, vitela".

Dana - provavelmente de origem dinamarquesa, de significado incerto; diminutivo feminino para Daniel.

Danete - forma feminina de Daniel.

Daniela - **Daniele** - **Daniella** - **Danielle** - **Danila** - formas femininas de Daniel.

Dannaé - na mitologia grega, mãe de Perseu. Formas diminutivas: Dannie / Danny; variante: Dinaê.

Danusa - **Danúsia** - variantes de Daniel.

Danuta - de origem lituana, significa "dada por Deus".

Daphne - de origem grega, significa "louro".

Dara - de origem hebraica, significa "caridade"; no irlandês gaélico, significa "carvalho".

Dária - **Daria** - **Darice** - forma feminina de Dário / Dario.

Darina - **Dariella** - variantes femininas de Dário.

Darlene - **Darleen (ing.)** - de origem no velho inglês, significa "a querida, a bem-amada".

Daura - nome que se compõe de "aura" e significa "dourada, feita de ouro".

Davina - **Davínia** - formas femininas de Davi.

Dea - de origem latina, significa "deusa".

Deana - **Deane** - formas femininas de Dean. Variantes: Dena / Dene.

Deanna - variante de Diana.

Débora - **Deborah (ing.)** - **Debra** - de origem hebraica, significa "abelha". Formas diminutivas: Deb / Débi / Débbie / Débby.

Décia - nome romano dado ao décimo filho, prática não adotada nos dias atuais.

Déia - de origem latina, é a palavra feminina para "deusa, diva".

Deise - forma aportuguesada do nome inglês Daisy.

Dejanira - de origem grega, significa "mulher que arruína" ou "mulher que queima o marido".

Delcisa - variante de Adalgisa.

Delfina - variante feminina de Delfim.

Delia - **Délia** - **Délie** - de origem grega, significa "mulher natural da ilha de Délos (Grécia)". Na mitologia, é conhecida como a "ilha dos deuses", onde nasceram Diana e Apolo.

Delícia - de origem latina, significa "muito delicioso, gostoso".

Delila - **Delilah** - variante do nome Dalila.
Delinda - junção dos nomes Delia e Linda.
Delma - de origem espanhola, significa "próprio do mar, marítimo".
Delmira - forma feminina reduzida de Aldomiro.
Delores - forma variante de Dolores.
Demétria - **Ceres** - nome grego dado à deusa da agricultura, deusa da fertilidade.
Dena - **Dene** - formas variantes de Deana.
Denice - variante de Denise.
Denise - forma feminina, de formação francesa, do nome Dênis.
Deolinda - de origem germânica, significa "serpente adorada pelo povo" ou "escudo, broquel".
Derci - variante de Darci.
Desdêmona - de origem grega, significa "de má estrela, descrente de Deus".
Desolina - variante de Isolina.
Deusdedit - de origem latina, significa "Deus deu".
Di - forma diminutiva de Diana / Diane / Dina / Diná / Dinaê / Dinnah / Dianne.
Diadema - de origem grega, significa "coroa, coroa real".
Dialina - de origem grega, significa "pertencente a Júpiter".
Diamantina - próprio do diamante. Variante: Adamantina.
Diamira - variante feminina de Diomiro.
Diana - é o nome em latim da deusa da caça; também pode ser "a divina" ou "a diurna". Diminutivo: Di.
Diane - **Dianne** - formas francesas de Diana.
Dicéia - de origem grega, significa "justiça".
Dido - nome feminino de origem fenícia, significa "amor, amorosa"; na mitologia, foi amante de Eneas.
Dilma - variante de Delma.
Dilys - de origem galesa, significa "segura". Diminutivo: Dilly.
Dimiranda - variante de Miranda; "aquela que deve ser vista, admirada".
Dina - **Diná** - **Dinah (heb.)** - de origem hebraica, significa "que foi feita a justiça". Forma diminutiva: Di; variantes: Dinaê / Dinair.

Dinalva - junção dos nomes Dina e Alva.

Dinamene - uma das namoradas de Camões, a quem ele dedicou um soneto de amor.

Dinéia - uso do nome Dina com o sufixo "éia".

Dinorá - variante de Dionora, vindo de Eleonora.

Diocleciana - de origem grega, significa "a glória de Júpiter".

Dioclécia - forma variante feminina de Diocleciano.

Diodora - de origem grega, significa "presente de Deus, dado por Deus".

Dione - **Dionne (ing.)** - de origem grega, significa "filha do céu e da terra"; esposa de Zeus, mãe de Vênus.

Dionísia - **Dionigia (it.)** - nome de um deus grego, do vinho e da vegetação, Baco, em latim. Diminutivos: Deni / Dêni / Deon / Di / Dion.

Dira - forma reduzida italiana para Dorotéia.

Dirce - de origem grega, significa "fonte, turvar a água"; variante: Dircéia.

Ditta - forma reduzida italiana para Editta / Giuditta.

Diva - **Déia** - de origem latina, significa "deusa".

Divalda - junção dos nomes Diva e Alda.

Divina - de origem latina, "próprio da natureza de Deus".

Djalmira - variante feminina de Djalma.

Djanira - variante de Dejanira.

Doarda - **Doardina** - formas femininas reduzidas italianas para Edoardo / Eduardo.

Dodie - **Dodo** - **Dolly** - formas diminutivas inglesas de Dorotéia.

Dolina - forma diminutiva escocesa de Donalda.

Dolores - de origem espanhola, significa "dores, tormentos, sofrimentos". Diminutivos: Dolly / Lola / Lolita.

Domênica - forma italiana para Domingos.

Domícia - de origem latina, significa "a deusa do lar".

Domiciana - de origem latina, significa "pessoa dominada, dada a fraquezas".

Dominique - de origem francesa, forma feminina para Domingos.

Domitila - de origem latina, variante de Domícia.

Donalda - forma feminina de Donaldo.

Donária - de origem latina, significa "aquela que doa, aquela que presenteia".

Donata - de origem latina, significa "presente de Deus, dado por Deus".

Donatella - variante feminina de Donato.

Donna - nome feminino usado em inglês, derivado do italiano, significa "senhora, mulher".

Dora - de origem grega, significa "presente, dádiva"; forma diminutiva de Dorotéia / Teodora; ou Dora(ô), de Auxiliadora. Outros diminutivos em inglês: Dorrie / Dorry; diminutivo de Dora: Dorita.

Doralice - de origem grega, significa "presente matinal".

Doralinda - junção dos nomes Dora e Linda.

Dória - variante de Dóris.

Doriana - de origem grega, significa "natural da Dórida (Grécia)".

Dorina - de origem no inglês, variante de Dorotéia.

Dorinda - de origem grega, significa "presente de amor".

Dóris - de origem grega, significa "presente, oferta, dádiva".

Dorli - **Dorly** - possivelmente de origem francesa, ligado ao nome de um local.

Dorotéia - **Doroteia (esp.)** - **Dorothea (germ.)** - **Dorothée (fr.)** - **Dorothi (ing.)** - de origem grega, significa "presente de Deus". Variantes diminutivas do inglês: Dodie / Dodo / Dolly / Dora / Doris / Dot / Doti.

Dorvalina - forma feminina diminutiva de Dorval.

Dosolina - **Dozolina** - de origem grega, alterada no italiano, significa "fé, crença".

Dovíglia - variante feminina de Duílio.

Drusila - **Drusilla** - de origem latina, significa "com os olhos orvalhados".

Dulce - **Dulcie (ing.)** - de origem latina, significa "doce, tenra, suave, meiga".

Dulcelene - junção dos nomes Dulce e Elene.

Dúlcia - variação de Dulce.

Dulcibela - junção dos nomes Dulce e Bela.

Dulcídia - **Dulcídea** - de origem latina, significa "adoçicado, mole".

Dulcina - **Dulcinda** - variantes de Dulce.

Dulcinéia - de origem espanhola, nome formado a partir de Dulce; foi a namorada de Dom Quixote.

Durvalina - forma feminina variante de Durval.

Dyan - forma variante inglesa de Diana.

Dymphana - de origem no gaélico irlandês, significa "pequeno gamo".

e

MENINAS

Eadda - variante italiana de Ada.

Eanna - de origem gaélica irlandesa, significa "pássaro"; variante Enda.

Earlene - **Earline** - forma feminina de Earl; de origem no velho inglês, significa "homem nobre". Diminutivos: Earlie / Earley.

Eartha - de origem no velho inglês, significa "terra"; variante: Ertha.

Ebe - de origem grega, significa "juventude"; nome mais usado com a grafia Hebe.

Ebony - nome de uma madeira escura e muito dura.

Eclea - **Ecléia** - de origem grega, significa "a célebre, notável, famosa".

Eda - de origem no velho inglês, significa "prosperidade, felicidade".

Edagmar - variante de Dagmar.

Edana - forma feminina de Edan.

Edberta - de origem no velho inglês, significa "próspero, brilhante".

Ede - variante italiana de Edite.

Edelina - de origem germânica, significa "nobre e bem-humorada".

Edeline - variante de Edelina.

Edelmira - de origem germânica, significa "nobre e famosa".

Edeltrudes - de origem latina, significa "nobre fé".

Edelvais - **Edelveis** - **Edelweis** - de origem germânica, significa "brilho branco"; nome de uma flor branca que floresce no alto dos Alpes.

Edelza - combinação dos nomes Eda e Elza.

Edênica - próprio do Éden.

Edésia - de origem latina, era o nome da deusa que presidia às refeições.

Edi - **Édi** - derivada do inglês Edy, tanto pode ser de Eduarda como de Edite.

Edie - forma diminutiva em inglês de Edina / Edith / Edwina.

Edilha - **Edília** - variante de Odila.

Edilma - junção dos nomes Eda e Hilma.

Edina - **Édina** - variante escocesa de Edwina.

Edissa - de origem hebraica, significa "misto, mistura".

Edite - **Edita (esp.)** - **Edith (ing.)** - **Editta (it.)** - de origem no velho inglês, significa "que luta pela prosperidade". Variantes em inglês: Edie / Edy / Edyth / Edythe.

Edilina - de origem no velho inglês, significa "serva nobre".

Edmea - **Edméia** - nome vindo do francês ao português.

Edmée - de origem francesa; feminino de Edmond / Edmundo.

Edmonda - **Edmunda** - forma feminina de Edmundo.

Edna - de origem hebraica, significa "prazer".

Ednéia - variante de Edna.

Eduarda - **Edoarda** - formas femininas de Eduardo.

Eduardina - **Edwardina (ing.)** - diminutivo de Eduarda.

Eduvígis - variante de Edvige.

Edviges - **Eduviges** - **Edwige (ing.)** - **Edwviges** - forma francesa de Hedwig.

Edvina - **Edwin (ing.)** - **Edwina** - de origem no velho inglês, significa "amigo da prosperidade".

Effie - diminutivo inglês para o nome Eufêmia.

Egéria - de origem latina, nome de uma ninfa muito bela; "protetora dos partos".

Égina - de origem grega, nome de uma ilha grega.

Eglantina - de origem francesa, é o nome de uma roseira silvestre.

Eileen - forma irlandesa de Helena; variante: Aileen.

Eilidh - forma gaélica escocesa de Helena.

Eilir - de origem galesa, significa "borboleta".

Eira - de origem galesa, significa "neve".

Eithne - de origem gaélica irlandesa, significa "semente, grão".

Ela - forma reduzida italiana de Michella.

Elana - **Elaine** - **Elane** - variantes de Helena.

Elba - de origem germânica, deriva do nome Elfo, o mesmo que Alfredo; pode significar "habitante da ilha de Elba".

Elda - variante de Alda ou forma reduzida de Griselda; variante de Ilde.

Eldrid - **Eldrida** - **Eldridge** - de origem no velho inglês, significa "conselheira sábia".

Ele - forma reduzida italiana de Michele / Raffaele.

Eleana - variante de Eliana, que significa "filha do sol".

Eleanor - **Eleanora (it.)** - **Eleanore** - variantes de Helena. Outras variantes em inglês: Elinor / Ella / Nell / Nora.

Electra - de origem grega, significa "brilhante".

Élen - de origem galesa, significa "anjo, ninfa".

Elena - forma italiana e espanhola de Helena.

Elenir - variante de Helena.

Eleonora - **Eleonor** - **Eleonore** - **Leonor** - **Nora** - de origem gaulesa, significa "luz"; do árabe, "Deus é a minha luz".

Elfreda - de origem no velho inglês, significa "beleza nobre".

Elfrida - **Elfride** - de origem germânica, significa "a protegida, a que tem paz por sua sabedoria".

Elga - de origem no velho norueguês, significa "sagrada". Variante: Olga.

Eliana - **Eliane (fr.)** - de origem latina, significa "de grande beleza, bela como o sol".

Elide - **Elida** - **Elídia** - variante de Elda.

Elin - forma diminutiva galesa de Elinor; variante galesa de Helena.

Elina - variante de Helena.

Elinéia - combinação de Eli com Néia.

Elinor - variante de Eleanor.

Elis - **Élis** - variante galesa de Elias; variante de Alice.

Elisa - forma italiana reduzida de Elisabetta.

Elisabete - **Elisabeth** - **Elisabetta** - **Elise** - de origem hebraica, significa "consagrada a Deus". Formas diminutivas em inglês: Bess /

Bet / Beth / Betsy / Betty / Eliza / Elsa / Elsie / Libby / Lisa / Lisbeth / Liz / Liza; em português: Bet / Bete / Béti / Betinha.

Elisângela - combinação dos nomes Elisa e Ângela.

Elisenda - variante espanhola de Elisa.

Elisete - diminutivo de Elisa / Elise.

Elísia - de origem grega, significa "os campos elísios", ou seja, "o paraíso para os gregos bons".

Ella - de origem hebraica, significa "Deus é Senhor". Forma diminutiva dos seguintes nomes em inglês: Cinderella / Eleanor / Isabella.

Éllen - **Elli** - variantes de Helena.

Ellice - variante de Ellis.

Ellie - forma diminutiva inglesa de Alice.

Elma - de origem germânica, significa "capacete"; de origem grega, "amável, afável".

Eloína - forma feminina de Elói.

Eloísa - **Éloise** - **Eloíse** - variante de Heloísa.

Elsa - forma diminutiva inglesa de Alice / Álison / Elizabeth.

Elsie - **Elsi** - variante de Elsa; formas diminutivas de Alice / Álison / Elisabeth / Elspeth.

Elva - de origem no velho inglês, significa "amigo dos elfos"; variante: Elvina.

Elvey - **Elvy** - de origem no velho inglês, significa "presente dos elfos".

Élvia - **Elviana** - **Elvina** - formas femininas italianas para Hélvio.

Elvina - **Elvin (ing.)** - de origem no velho inglês, significa "nobre amigo, amigo fiel"; variante inglesa: Elwin.

Elvira - de origem latina, significa "branca"; no germânico, "protetora nobre".

Elza - de origem germânica, significa "a nobre virgem, a virgem das águas"; diminutivo: Elzita.

Elzira - variante de Alzira.

Ema - de origem germânica, significa "abelha". Há discussão quanto à derivação.

Emanuela - **Emanuele** - **Emanuelle** - formas femininas de Emanuel. Diminutivos: Ema / Emma / Imma / Manny / Manu; variantes: Manoela / Manuela.

Emeline - variante inglesa de Amélia.

Emerald - forma inglesa de Esmeralda.

Emi - **Emmy** - forma diminutiva alemã de Ermelinda.

Emídia - de origem latina, significa "semideus".

Emiliana - variante feminina derivada de Emílio.

Emília - **Emile** - **Emílie** - **Emilietta (it.)** - de origem latina, significa "solícita, prestativa, diligente".

Emily - forma feminina inglesa de Emílio.

Emira - de origem árabe, significa "princesa".

Emlyn - variante inglesa de Emília / Emily.

Encarnação - **Encarnación (esp.)** - de origem latina, significa "a concepção de Jesus Cristo como ser humano".

Enda - forma inglesa de Eanna.

Enedina - possivelmente de origem grega, significa "ser complacente".

Eneida - de origem grega, nome do maior poema épico romano, escrito por Virgílio.

Engelberta - **Engelbertha** - de origem germânica, significa "anjo brilhante".

Engrácia - variante espanhola para Grácia.

Ênia - **Enya** - de origem hebraica, tem o mesmo significado de Ana.

Eni - forma portuguesa do inglês Ennis.

Enis - anagrama de Inês.

Ennis - de origem gaélica, significa "chefe".

Enrica - forma italiana feminina de Henrique.

Enrichetta - **Enriqueta (esp.)** - **Henrietta (ing.)** - forma italiana de Henriqueta; forma feminina diminutiva para Henrique.

Enya - variante de Ênia.

Enza - **Enzina** - variantes italianas de Vincenzo.

Eolina - variante de Éolo; outra variante: Eulina.

Ericina - de origem latina, nome dado a Vênus.

Érica - **Erika (ing.)** - forma feminina de Érico.

Erine - nome de uma poetisa grega; variante de Irene.

Erla - de origem germânica, significa "dama, senhora nobre".

Erléia - variante de Erlina.

Erlene - **Erline** - variantes de Earlene / Erline. Diminutivos: Erlie / Erley.

Erlina - de origem no antigo inglês, significa "fada". Variantes: Arlina / Arline.

Ermana - **Ermanda** - de origem germânica, significa "homem de armas".

Ermelinda - de origem germânica, significa "o escudo do deus Irmin" ou "serpente do deus Irmin".

Ermenegilda - de origem germânica, significa "combatente do deus Ermin".

Ermengarda - variante de Irmengarda.

Ermínia - variante de Armíni.

Erna - forma diminutiva de Ernesta / Ernestina / Ernestine.

Ernalda - variante de Arnalda.

Ernesta - de origem germânica, significa "lutador persistente, sério". Diminutivos ingleses: Ern / Ernie.

Ernestina - variante feminina de Ernesto.

Erondina - ver Hirundina.

Eronita - forma feminina de Héron.

Erotildes - de origem grega, é um diminutivo de Eros.

Escolástica - de origem latina, significa "professora, monja que leciona"; nome dado à filosofia medieval.

Esmeralda - **Emerald (ing.)** - de origem latina, significa "verde brilhante".

Esmeraldina - variante de Esmeralda, ou seja, "da cor verde".

Esméria - de origem grega, é o nome de uma planta.

Esperança - **Esperanza (esp.)** - de origem latina, é uma virtude que o ser humano necessita para viver.

Espiridiana - forma feminina de Espiridião.

Esta - variante de Ester.

Estefânia - **Estefania (esp.)** - variante feminina de Estefânio.

Estela - **Estella (ing.)** - **Estelle (ing.)** - **Stella (lat.)** - de origem latina, significa "estrela". Variantes: Estelina / Estelita.

Ester - **Esther (ing.)** - de origem persa, é o nome do planeta Vênus. Variante: Esta.

Étel - **Ethel (ing.)** - de origem no velho inglês, significa "nobre pela riqueza, nascida nobre".

Etelvina - de origem germânica, significa "amiga da nobreza".

Etna - **Eithne** - **Ethna** - de origem no gaélico irlandês, significa "semente, grão".

Eucádia - de origem grega, significa "o que existe de bom, de bondade".

Euclea - **Eucléia** - de origem grega, significa "famosa, notável".

Eudina - forma feminina de Eudes.

Eudora - de origem grega, significa "bom presente, presente valioso".

Eudóxia - de origem grega, significa "de boa reputação, com boa fama".

Eufêmia - **Euphemia (ing.)** - de origem grega, significa "bem falante".

Eufrásia - de origem grega, significa "alegria".

Eufrosina - de origem grega, significa "alegre, jovial, contente, satisfeito".

Eugênia - **Eugen (germ.)** - **Eugene (ing.)** - **Eugène (fr.)** - de origem grega, significa "de origem nobre, de boa estirpe". Diminutivos: Gene / Xênia.

Eulália - de origem grega, significa "que fala bem, bom orador".

Eulena - variante de Eulina.

Eulina - variante de Eolina, referente a Éolos, deus dos ventos; ou, conforme outros, significa "de boa estirpe".

Eunice - de origem grega, significa "que obtém uma boa vitória, vitoriosa".

Eunísia - de origem grega, significa "que é levado bem, suavemente".

Euricléia - de origem grega, significa "feliz glória".

Eurídice - de origem grega, significa "de ampla e total justiça".

Euterpe - de origem grega, significa "alegre, divertida, deliciosa"; é a musa da música.

Euzélia - de origem grega, significa "rivalidade produtiva, boa rivalidade".

Eva - **Eve (ing.)** - de origem hebraica, significa "dar a vida, vivente, vida". Nome da primeira mulher, conforme relata a Bíblia, no Gênesis.

Evangelina - **Evangeline (ing.)** - de origem grega, significa "a boa nova, a notícia boa".

Evanira - **Evanina** - variante de Eva.

Eve - forma inglesa de Eva. Diminutivos: Evaline / Evelina / Eveline / Evellen / Evelia / Evilina.

Evelin - **Evelyn** - pode vir do velho francês, significa "noz escura"; através do nome normando, Aveline. Diminutivos: Evaline / Evelia / Evelina / Eveline / Evellen / Evilina.

Evelina - **Eveline** - formas diminutivas de Eva e Evangelina.

Eveonn - variante inglesa de Ivone.

Evita - forma diminutiva espanhola de Eva.

Evódia - de origem grega, significa "boa jornada".

Evy - variante de Eva.

f

MENINAS

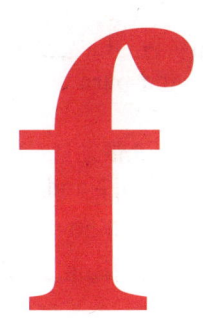

Fábia - Fabiene (fr.) - de origem latina, significa "fava" ou "plantador de favas"; variante: Fabíola.

Fabíola - forma diminutiva de Fábia; nome muito antigo em Roma.

Faith - forma inglesa de fé.

Fani - Fanny - forma diminutiva inglesa de Estefânia.

Fátima - de origem semítica, significa "donzela, a que deixou de mamar". Era o nome de uma filha de Maomé e, hoje, esse nome é conhecido, sobretudo, por causa de Nossa Senhora de Fátima, em Portugal.

Fausta - de origem latina, significa "feliz, faustoso, ditoso".

Faustina - Faustine (ing.) - diminutivo feminino de Fausto.

Febe - de origem grega, significa "a lua".

Fedele - Fedelina - formas femininas italianas para Fidélis.

Federica - forma feminina espanhola e italiana de Frederico.

Felice - forma feminina italiana de Félix.

Felícia - Felicinne - formas femininas para Felício.

Felicidade - Felicidad (esp.) - Felicie (it.) - Felícia - Felicity (ing.) - a palavra já diz, significa "felicidade". Variante: Felícitas.

Felipa - variante feminina de Filipe.

Felisa - variante feminina espanhola para Félix.

Felisbela - combinação dos nomes Félix com Bella.

Felisberta - forma feminina de Felisberto.

Felisbina - forma feminina variante de Felismino.

Felismina - de origem latina, é um superlativo de feliz; "muito feliz".

Fenella - forma inglesa de Fionnuala.

MENINAS

Ferdinanda - de origem germânica, significa "protetora corajosa"; em outra versão, "ousada para a paz". Diminutivos ingleses: Ferd / Ferdy.

Fernanda - de origem germânica, significa "inteligente, protetora ousada, valente"; diminutivo: Nanda.

Fernandina - diminutivo feminino de Fernando.

Ferruccia - nome de origem italiana, significa "um pequeno pedaço de ferro".

Fidélia - de origem latina, significa "fiel, aquele que crê, crente".

Fidelina - variante feminina de Fidel.

Fiorela - **Fiorella** - de origem italiana, significa "florzinha, enfeite, pequena obra de caridade, um ato de amor".

Fiorinda - variante de Flora.

Firmina - de origem latina, uma forma feminina variante de Firmo.

Flamínia - de origem latina, significa "sacerdote" ou "sopro".

Flanna - de origem no gaélico-irlandês, significa "cabelo vermelho, ruivo".

Flaviana - variante de Flávia.

Flor - **Flower (ing.)** - usado como primeiro nome e como sobrenome de algumas famílias.

Flora - **Flore** - de origem latina, significa "a deusa das flores"; diminutivo: Flô; do inglês: Florrie / Flossie / Floy.

Florália - de origem latina, significa "conjunto de flores, jardins, canteiros".

Florbela - junção de Flor e Bela, Bella; era o nome de uma grande poetisa lusa.

Florência - **Fiorenza** - **Florence** - de origem latina, significa "que floresce, florescente, que está para florir".

Florentina - de origem latina, é uma forma diminutiva de flor.

Floria - **Flórida** - **Florina** - variantes de Flora.

Floriana - **Florian (ing.)** - **Florián (esp.)** - de origem latina, significa "próprio da flor, derivado de flor".

Florinda - de origem latina, significa "que está para florescer, florescente".

Floripa - de origem germânica, significa "alegre, divertida".

Florisbela - **Florisbel** - combinação dos nomes Flor e Bella.

Florrie - Flossie - formas inglesas diminutivas de Flora / Florence.

Fortuna - Fortune (ing.) - de origem latina, deusa da sorte, da saúde, do bem-estar.

Fortunata - de origem latina, significa "com sorte, felizardo, afortunado".

Fosca - Foscarina - de origem italiana, significa "escuro, opaco, enegrecido, que dificulta a passagem da luz".

Franca - de origem no francês arcaico, significa "homem livre, liberto, não escravo". Diminutivos italianos: Francesca / Franchina.

Francelina - diminutivo feminino de Francisco.

Francesca - forma italiana para Francisca; formas diminutivas italianas: Franceschina / Francette / Francheschina / Francina / Francine.

Franciela - Franciele - variantes femininas de Francisco.

Francine - Francina - forma feminina derivada de Francisco.

Francisca - de origem latina, significa "francês"; nome celebrizado por São Francisco de Assis no século XIII.

Franquelina - forma feminina para Frânklin.

Franziska - forma germânica para Francisca.

Freda - forma feminina diminutiva inglesa para Winifred; variante: Frieda.

Frederica - Federica (it.) - Frédérique (fr.) - forma feminina de Frederico. Diminutivos ingleses: Fred / Freddie / Freddy / Frieda.

Fredina - variante feminina de Alfredo.

Freya - Fraia - Fréia - de origem norueguesa, significa "a deusa nórdica do amor, o amor".

Frida - Frieda - Friede - variante de Frederica ou de Elfrida.

Fritzi - forma diminutiva de Frederica.

Frontina - de origem latina, "a que está na frente".

Frutuosa - de origem latina, significa "cheio de frutos".

Fúlvia - de origem latina, significa "com os cabelos amarelos, loura, arruivada".

Fulviana - variante de Fúlvia.

g

Gabbie - **Gabi** - **Gabby** - formas diminutivas para Gabriela / Gabriele.

Gabri - variante reduzida de Gabriela.

Gabriela - **Gabriele** - **Gabriella** - **Gabrielle** - feminino de Gabriel; diminutivos: Gabi / Gabbie / Gabby.

Gaetana - variante feminina de Caetano.

Gaia - de origem latina, significa "feliz".

Gail - forma diminutiva inglesa de Abigail.

Galatéia - **Galatea (ing.)** - de origem grega, significa "branca como o leite". Era uma ninfa da mitologia grega.

Gardênia - nome de uma planta cujas flores brancas exalam forte aroma, sendo o jasmim uma de suas variedades.

Gasparina - **Gasperina** - forma feminina diminutiva de Gaspar.

Gaudência - **Gaudênzia** - de origem latina, significa "gozadora, que se diverte".

Geena - **Gehena** - de origem hebraica, era o nome de um vale perto de Jerusalém.

Gelinda - variante de Geslinda.

Gelmira - de origem germânica, significa "alegre e famosa".

Gelsa - forma italiana para jasmim.

Gelsomina - nome italiano que significa Jasmim / Gardênia.

Gelta - variante de Gerda.

Gelvira - variante de Elvira.

Gema - **Gemma (it.)** - de origem latina, é o nome de uma pedra preciosa. Variante: Jemma.

Gene - forma diminutiva de Eugênia.

Genevieve - Geneviève (fr.) - Genoveffa (it.) - de origem céltica, significa, possivelmente, "tribo de mulheres".

Geni - variante de Jeni.

Gennarina - de origem italiana, nome napolitano.

Gênnifer - variante de Jênifer / Jênnifer.

Genoveva - Genoveffa (it.) - Jênnifer - de origem germânica, significa "a força da lança, a que usa a lança".

Georgete - Giórgia - variante feminina diminutiva de Jorge.

Geórgia - Georgiana - Georgina - Georgine - formas femininas de Jorge.

Geraldina - Geraldine - formas femininas de Geraldino.

Gerarda - variante de Geraldo, por influência do inglês.

Gerda - variante de Guerda.

Gerlinda - variante de Guerlinda.

Germana - de origem latina, significa "irmão, irmão legítimo por parte de pai e mãe".

Gerrie - Gerry - formas femininas diminutivas do inglês de Gerald / Geraldine / Gerard.

Gertrudes - de origem germânica, significa "a força da lança, aquela que usa bem a lança". Formas diminutivas inglesas: Gert / Gertie / Trudi / Trudy; em português: Truda / Trude.

Gerusa - Jerusa - variante de Gertrudes.

Gervásia - de origem germânica, significa "lutadora poderosa com a lança, boa na lança".

Geslinda - de origem germânica, significa "guerreira que usa o escudo".

Gesuela - Gesuella - formas italianas femininas para Josué.

Ghislaine - variante de Giselle.

Ghita - forma diminutiva italiana para Margherita / Margarida.

Giacinta - forma italiana feminina para Jacinto.

Giacoma - forma italiana feminina para Jacó. Diminutivo: Giacomina.

Gianna - forma italiana feminina para João.

Giannina - forma diminutiva feminina italiana de Giovanni.

Gilberta - **Gilberte** - formas femininas de Gilberto. Formas diminutivas em inglês: Gill / Gillie / Gilly.

Gilca - na Suíça, abreviação do nome Egídia.

Gilda - de origem germânica, significa "sacrifício".

Gillian - **Giliane** - variante de Julian. Diminutivos: Gill / Gillie / Gilly.

Giliard - forma francesa de Gillian.

Gina - forma diminutiva inglesa de Georgina; em italiano e português, é o diminutivo de Regina.

Ginevra - de origem céltica, significa "espírito branco"; variante Guinevere.

Ginnie - **Ginny** - forma reduzida de Virginia em inglês.

Gioachina - forma feminina italiana de Joaquim.

Giorgia - forma italiana de Jorge. Variantes: Giorgetta / Giorgina.

Giovanna - forma italiana de Jane /Joana.

Gioconda - de origem italiana, significa "alegre, satisfeita, agradável".

Gisa - forma reduzida de Adalgisa / Gisela.

Gisela - **Gisele** - **Gisèle (fr.)** - **Giselle (ing.)** - de origem germânica, significa "penhor, refém, garantia de".

Giselda - de origem germânica, significa "guerreira com nobreza".

Gislain - forma francesa de Gisela.

Gislaine - variante de Gisele.

Gislene - variante de Gisela.

Gitana - forma espanhola para designar "cigana".

Gitta - forma reduzida de Brígida.

Giuditta - forma italiana de Judite.

Giulia - forma italiana para Júlia.

Giuliana - forma italiana para Juliana.

Giulietta - forma diminutiva de Giulia / Julieta.

Giuseppina - forma italiana feminina para José. Forma reduzida: Pina.

Glaci - **Glacy** - possivelmente forma reduzida de Glacinda.

Glacinda - variante de Gracinda.

Gládys - forma galesa de Cláudia.

Glafira - de origem grega, significa "delicada, elegante".

Glauceste - variante de Glauce / Gláucia.

Gláucia - **Glauce** - de origem latina, indica a cor verde-azulada ou, também, o nome de uma planta.

Glaura - variante feminina de Glauco.

Gleda - forma do velho inglês para Cláudia / Gládyz.

Gleide - de origem céltica, significa "princesa".

Glena - **Glenna** - forma feminina para Glen / Glênio.

Glenda - de origem galesa, significa "asseada e boa"; variante: Glênys.

Glenis - de origem galesa, significa "sagrada, sacra". Variantes: Glenice / Glennis; forma reduzida: Glen.

Gleusa - variante de Cleusa / Creusa.

Glice - **Glicea** - **Glicéia** - de origem grega, significa "doce, afável, bondosa".

Glicínia - de origem grega, significa "aquela que tem doçura".

Gloreci - variante de Glória.

Glória - de origem latina, significa "honras, celebridades, ovações"; sobretudo do nome Nossa Senhora da Glória. Diminutivo: Glorinha.

Glynis - **Glyn** - **Glynn** - de origem galesa, significa "vale".

Godiva - de origem no velho inglês, significa "presente de Deus".

Golda - **Golde** - de origem no iídiche, significa "ouro"; variante inglesa: Goldie.

Gorétti - formado a partir de Maria Gorétti, mártir da castidade, canonizada em 1950.

Gracian - variante espanhola de Gracia.

Graciana - de origem latina, é uma derivação de Graça.

Graciela - variante de Graziela, "pequena graça"; diminutivo: Graci.

Graciema - junção dos nomes Gracia com Ema.

Graciette - **Graciet** - forma francesa para Gracinha.

Gracila - variante de Graça.

Gracinda - forma derivada de Graça, com sufixo diverso.

Graça - Grace (ing.) - Grazia (it.) - de origem latina, significa "graça, bondade, benevolência"; variante inglesa: Gracie; formas diminutivas em português: Gracinha / Gracita. Esse nome vem quase sempre em conjunto com Maria, ou seja, Maria da Graça.

Grainne - Grania - de origem irlandesa, significa "amor".

Grazia - forma italiana para Graça, normalmente acompanhado de Maria.

Graziana - forma italiana derivada de Graça.

Graziela - Graziele - Graziella - Grazielle - variantes de Grazia.

Gregória - de origem grega, significa "vigilante, cuidadosa".

Greta - Gretel - Grethel - formas diminutivas de Maragaret / Margarida.

Gretchen - forma diminutiva de Margaret / Magarete / Margarida.

Grete - forma diminutiva de Margarete.

Griselda - de origem germânica, significa "velha heroína". Formas diminutivas inglesas: Grissel / Grizel / Grizzel.

Guadalupe - de origem árabe, significa "rio de lobos", advindo o nome de Nossa Senhora de Guadalupe. Formas diminutivas espanholas: Lupe / Lupita.

Guairá - de origem tupi, possivelmente abreviação de Guairacá; significa "lontra".

Guaraci - de origem tupi, significa "o criador, mãe do dia, o Sol".

Guaraciba - de origem tupi, "cabelos loiros".

Gudrum - de origem no velho norueguês, significa "segredo de Deus".

Guerina - Guerrina - de origem germânica, significa "defensora".

Guerda - de origem germânica, significa "esbelta como uma vara, vareta".

Guida - forma variante de Maragarida.

Guilhermina - variante feminina de Guilherme.

Guinevere - de origem galesa, significa "branca e suave". Era o nome da esposa do Rei Arthur.

Guiomar - de origem germânica, significa "gloriosa, ilustre, guerreira famosa".

Guísela - variante de Gisela.

Gunhilda - **Gunhilde** - de origem no velho norueguês, significa "serva da guerra".

Guasmana - variante feminina de Cosmo, Cosimo em italiano.

Gussie - **Gusta** - formas diminutivas inglesas de Augusta.

Guta - de origem latina, significa "gota, mácula, mancha".

Guylaine - forma variante feminina de Guido.

Gwendoline - de origem celta, significa "círculo branco e feliz". Variantes: Guendoline / Gwenda / Gwenn / Gwenne / Gwenole / Gwnael.

Gwyneth - de origem galesa, significa "abençoada".

h

Hadassa - de origem hebraica, significa "mirto, murta".

Hagar - de origem hebraica, significa "fuga, escapamento". Variante: Agar (escrava de Abraão, mãe de Ismael).

Haidé - Haidee (ing.) - de origem grega, significa "modesta, honrada"; variante: Heidi.

Hala - de origem árabe, significa "doçura".

Halina - Haline - de origem grega, significa "salgada, que está com sal".

Halona - possui origem em idioma de tribo norte-americana e significa "afortunada, ditosa".

Hanna - Hannah - de origem hebraica, significa "graça"; variante de Ana / Ann; forma diminutiva: Nana.

Haralda - Harolda - forma feminina de Haraldo / Haroldo.

Harmony - de origem grega, significa "harmonia, conciliação".

Harriet - Harriot - formas femininas de Harry. Diminutivos: Hattie / Hatty.

Harun - forma feminina árabe de Arão.

Hata - forma reduzida de Ágata.

Hattie - Hatty - formas diminutivas de Harriet.

Haydée - variante de Haidé.

Heather - de origem inglesa, nome tirado da denominação de uma planta com flores púrpuras ou brancas.

Hebe - de origem grega, significa "juventude, mocidade"; deusa da juventude e esposa de Hércules.

Heda - Hedda - de origem grega, significa "luta"; variante de Hedviges.

Hédi - de origem grega, significa "doce, suave".

Hedvig - **Hedwig** - de origem germânica, significa "luta, guerra".

Hedviges - de origem germânica, significa "guerreira protetora".

Hélen - de origem grega, significa "grego"; forma inglesa para Helena.

Helena - **Elena (esp./ it.)** - **Helen (ing.)** - **Helene (germ.)** - **Hélène (fr.)** - de origem grega, significa "luz, brilho". Variante de Selene; diminutivos ingleses: Lena / Nell.

Helenita - variante de Elenita / Helena.

Heleonora - variante de Helena.

Helga - de origem no velho norueguês, significa "a feliz, a venturosa".

Helge - variante de Helga.

Heli - de origem hebraica, significa "elevação, sublimidade".

Helma - de origem germânica, significa "proteção". Variante: Elma.

Heloísa - variante de Luísa.

Heloíse - forma variante francesa de Eloísa / Éloise / Luísa.

Henedina - variante de Enedina.

Henny - forma variante para Henriqueta.

Henrietta - forma feminina inglesa de Henrique, usando os diminutivos Hettie / Hetty / Netta / Nettie.

Henriette - forma francesa para Henrietta.

Henriqueta - forma feminina de Herique, através do italiano Enrichetta ou do francês Henriette.

Hera - de origem grega, rainha do Olimpo, irmã e esposa de Zeus; em Roma, era conhecida por Juno. Seu significado é "protetora".

Hermengarda - de origem germânica, significa "a protetora, o bastão de Deus, amparada por Deus". Variante: Irmengarda.

Hermínia - **Armínia** - **Hermione** - variantes femininas de Hermes.

Hermosa - nome espanhol que significa "bela, formosa".

Heroína - variante de Hera, semideusa grega.

Herondina - **Herondine** - variantes femininas de Hirundino.

Hersília - de origem grega, significa "orvalho"; do latim, "deusa da mocidade". Variante: Hercília.

Herta - de origem germânica, significa "a terra, a divindade da terra". Variante: Hertha.

Haspéria - de origem grega, nome alternativo de Vênus, significa "ocidental".

Hester - **Hesther** - formas variantes de Ester.

Hettie - **Hetty** - formas diminutivas inglesas de Henrietta.

Heulwen - de origem galesa, significa "brilho do sol".

Hibernia - nome latino da Irlanda, significa "o local do inverno".

Higia - de origem grega, significa "salutar".

Hilária - **Hilary (ing.)** - **Hillary (ing.)** - variantes femininas de Hilário.

Hilca - de origem germânica, variante de Gilca.

Hilda - de origem germânica, significa "a combatente, a guerreira". Variante inglesa: Hylda.

Hildegarda - **Hildegarde** - de origem germânica, significa "lança de combate, lança da guerra".

Hilma - de origem germânica, significa "proteção, escudo".

Hipólita - de origem grega, significa "aquele que tira, que solta cavalos".

Hirundina - de origem latina, significa "o que é próprio da andorinha". Variantes: Erondina / Erundina.

Hollie - **Holly** - de origem inglesa, significa "a sagrada, a sacra"; nome de uma planta que produz bagas vermelhas.

Hollis - com origem no velho inglês, significa "morador vizinho de plantas sagradas".

Honora - nome inglês que, em português, significa "honra, dignidade".

Honorata - **Honoré (fr.)** - **Onorata (it.)** - de origem latina, significa "digna de todas as honras, honrada".

Honória - de origem latina, significa "aquele que tem honra, respeito, estima, dignidade".

Honorina - variante feminina de Honório, o deus da honra.

Hope - nome feminino inglês que significa "esperança, expectativa".

Hortênsia - **Hortense (ing.)** - **Ortensia (it.)** - de origem latina, significa "próprio da horta, do jardim"; nome de uma flor de clima mais ameno, como o das montanhas.

Hosa - de origem hebraica, significa "presteza, pressa, celeridade".

Hosana - **Hosaná** - de origem hebraica, significa "salve, viva".

Hosea - de origem hebraica, significa "salvação".

Huberta - de origem germânica, significa "inteligência brilhante".

Hulda - **Huldah** - **Hurda** - de origem hebraica, significa "estável, firme, constante".

i

Iaci - de origem tupi, significa "a mãe dos frutos"; variante: Jaci.

Iacir - variante de Jacir / Jacira, significa "abelha da lua".

Iandara - nome formado de Ian com Dara, possivelmente de origem árabe, significando "casa".

Ianthe - de origem grega, designa a flor da violeta.

Iara - de origem tupi, "senhora das águas, dona das águas".

Iasmin - **Yasmin** - variantes de Jasmim.

Ibby - forma diminutiva inglesa de Isabel.

Iberê - de origem tupi, é o nome de uma planta.

Ida - **Idina** - de origem germânica, significa "valorosa, guerreira, jovem forte".

Idabell - de origem grega, significa "semelhante a deus e bela".

Idália - refere-se ao monte Idálion, onde havia um templo para Vênus.

Idalina - de origem grega, relativo a um monte; variante de Idália.

Idony - **Idonie** - de origem norueguesa, era o nome do guardião das maçãs de ouro da juventude.

Ieda - de origem hebraica, significa "favo de mel".

Iemanjá - de origem africana, significa "senhora do mar".

Ifigênia - **Efigênia** - de origem grega, significa "nascida com poder". Diminutivos: Fifa / Fifi / Gênia / Ífi.

Igraine - nome da mãe do rei Arthur, conforme as lendas.

Ilana - variante de Helena.

Ilca - variante húngara de Helena. Outras variantes: Hilca / Ilka.

Ilda - variante de Hilda.

Ilde - forma reduzida italiana de Clotilde / Ildegarda / Matilde; variantes: Hilda / Hilde (germ.).

Ildete - Hildete - variante diminutiva de Hilda.

Ileana - forma romena de Helena.

Ilma - de origem germânica, significa "proteção".

Ilona - forma húngara de Helena, forma diminutiva: Ilka.

Ilsa - de origem germânica, significa "ondina, ninfa"; em outros idiomas, é variante de Elsa.

Ilse - variante de Elisabete.

Ilza - variante gráfica de Ilsa.

Imaculada - Immaculada (esp.) - de origem latina, significa "sem mancha, pura, casta". O nome provém de Nossa Senhora Imaculada, de acordo com a tradição católica. Diminutivo espanhol: Imma.

Imelde - de origem germânica, significa "forte na batalha". É conhecido o caso da jovem italiana medieval chamada Imelda, que sugou o veneno da ferida do amado para salvar-lhe a vida e morreu com ele. Variante: Imelda.

Imirá - de origem tupi, significa "casca de árvore, madeira".

Imogen - oriundo de Cymbeline, de Shakespeare, escrita errada de Innogen, possivelmente significando "moça, jovem, donzela".

Ina - Iná - Inah - em inglês, é o final de nomes terminados em Iná: Georgina / Wilhelmina; usado em português como nome próprio.

Inácia - de origem latina, significa " fogo, ardente, inflamante".

Inaiá - de origem tupi, é o nome de uma palmeira; variante: Inajá.

Inaiê - de origem tupi, nome de uma palmeira.

Inalda - variante de Dinalda.

Indra - deus da mitologia indiana, indica fertilidade e força.

Inês - Agnes (ing./lat.) - Agnese (it.) - Inés (esp.) - Inez - de origem grega, significa "cordeiro", por extensão, "pura, casta, imaculada". Variante: Inesita.

Ingeborg - de origem no velho norueguês, significa "a fortaleza, a fortificação de Ing (que era o deus da fertilidade)". Variantes: Inga / Inge.

Inger - Ingra - variantes de Ingrid.

MENINAS

Ingrácia - variante de Engrácia; variante espanhola de Graça / Grazia.

Ingrid - de origem norueguesa, significa "serva, amazona de Ing (o deus da fertilidade)". Variantes: Inga / Inge / Inger.

Innês - **Inness** - com origem no gaélico escocês, significa "ilha".

Iola - variante de Iole.

Iolanda - **Iolanthe (ing.)** - **Yolande (fr.)** - de origem grega, significa "cor violeta, cor roxa". Variantes: Iola / Landa / Nina.

Iole - de origem grega, significa "cor violeta". Variantes: Iola / Iolanda / Iolita.

Iona - de origem céltica, significa "teixo, árvore europeia".

Ioná - de origem hebraica, significa "pomba".

Ione - de origem grega, significa "violeta"; era o nome de uma ninfa; variante: Eione.

Iphigênia - forma inglesa para Ifigênia / Efigênia.

Ipólita - variante feminina de Hipólito.

Ira - de origem hebraica, significa "vigilante, atenta".

Iracema - de origem tupi, significa "doçura, que produz mel, melíflua"; certos escritores dizem ser anagrama de América.

Iraci - de origem tupi, significa "mãe do mel, abelha".

Iraê - de origem tupi, significa "que tem gosto de mel, melíflua".

Iraí - de origem tupi, significa "rio de mel".

Iraíde - de origem grega, significa "descendente de Hera".

Irajá - de origem tupi, significa "favo de mel".

Irani - de origem tupi, significa "abelha feroz"; outros dizem que significa "rio de mel".

Irapuã - de origem tupi, significa "abelha que faz o ninho redondo, o favo redondo, como a abelha mandaçaia".

Irecê - variante de Iraci.

Irene - **Irène (fr.)** - **Irénée (fr.)** - de origem grega, significa "paz, a deusa da paz". Diminutivo em inglês: Renie; variantes: Irina / Irini.

Íride - de origem grega, "arco-íris"; variante: Íris.

Irina - **Irinea** - variantes de Irene.

Íris - Íride - de origem grega, era a deusa do arco-íris, significa também "a mensageira dos deuses".

Irma - Irmina - Irmine - de origem germânica, significa "pessoa nobre".

Irmelinda - variante de Ermelinda.

Irmengarda - variante de Hirmengard. De origem germânica, significa "bastão de Deus".

Irmina - variante de Ermínia / Hermínia.

Irupê - de origem indígena do Amazonas, significa "vitória-régia".

Isa - forma reduzida de Isabel / Isolda / Isolde.

Isabel - Elisabetta (it.) - Elizabeth (ing.) - Isabella (it.) - Isabelle (fr.) - Isabiella - de origem hebraica, significa "casta, pura". Variante: Isobel; diminutivos ingleses: Isa / Izzie / Izzy / Tib / Tibbie.

Isabô - Isabeau - forma francesa antiga para Isabel.

Isadora - de origem grega, significa "presente de Ísis"; variante: Isidora.

Isaltina - forma derivada de Isolda.

Isaura - de origem grega, significa "natural da Isáuria (região situada antigamente onde está hoje a Turquia)". Variantes: Isa / Isaurina.

Isidora - Isidore (ing.) - de origem grega, significa "presente de Ísis". Variantes: Ísi / Dora.

Isla - Islay - nome de uma ilha escocesa, usado como nome feminino.

Ismênia - de origem grega, significa "sábia, prudente".

Isméria - variante de Ismênia, com a variante Esméria.

Isobel - variante de Isabel.

Isolda - Isold - Isolde - Isotta (it.) - de origem galesa, significa "aspecto bonito, bela feição".

Isolete - variante de Isolina.

Isolina - variantes de Isolda / Isolita / Izolina.

Ita - Ite - de origem gaélica irlandesa, significa "desejo pela verdade, verdade".

Itacira - de origem tupi, significa "a pedra da abelha".

Ítala - forma feminina de Ítalo. Variante: Italina.

Ivalda - variante feminina de Ivan / Ivo.

Ivana - forma feminina de Ivan, ou seja, Joana.
Ivete - **Iveta** - **Yvette (fr.)** - forma diminutiva de Ives.
Ivone - **Yvonne (fr.)** - forma feminina derivada de Ives; variante: Ivoney.
Ivoneta - forma diminutiva de Ivone / Ivonete.
Ivonete - forma diminutiva francesa de Ivone.
Ivônia - variante de Ivone.
Ivy - de origem inglesa, nome de uma planta.
Iza - de origem árabe, significa "prestígio".
Izolita - do idioma esperanto, significa "isolada, solitária".
Izzie - **Izzy** - formas diminutivas de Isabel / Israel.

j

MENINAS

Jaci - **Jacy** - de origem tupi, significa "Lua".

Jaciara - de origem tupi, significa "o espelho da Lua".

Jacinta - **Jacilda** - **Jacilde** - **Jacildes** - junção do nome Jaci com Hilda / Ilde.

Jacina - **Jaciná** - de origem tupi, significa "libélula".

Jacinta - de origem grega, é o nome de uma planta cujas flores podem ser lilases ou brancas; denomina também uma pedra preciosa.

Jacira - de origem tupi, significa "abelha da Lua".

Jackie - **Jacky** - em inglês, são formas diminutivas para Jacqueline / Jaqueline.

Jacobina - forma feminina para Jacó, através do italiano Giacomina.

Jacqueline - **Jaquelina** - **Jaqueline** - forma feminina diminutiva de Jacó.

Jaíra - de origem hebraica, significa "despertador, ela desperta".

Jamal - nome feminino de origem árabe, significa "beleza, formosura".

Jamesina - junção dos nomes James com Ina.

Janaína - alteração do nome afro Iemanjá, "a senhora do mar".

Jandira - de origem tupi, significa "a abelha que produz mel".

Jane - **Janne** - forma inglesa de Joana.

Janete - **Jané** - **Janet** - **Janeta** - **Janette** - variantes de Jane em vários idiomas, ou seja, variantes de Joana.

Janice - forma variante de Jane / Joana.

Janina - variante de Jane / Janete.

Janine - variante de Jane / Janey / Joana; pelo francês, Jeannine.

MENINAS

Jaqueline - forma aportuguesada de Jacqueline; diminutivos: Jaque / Jáqui.

Jascha - forma feminina russa para Jacó; variante: Jaschenka.

Jasmim - **Jasmin** - **Jasmine** - **Jessamine** - **Jessamyn** - **Yasmin** - **Yasmine** - de origem árabe, é o nome de uma planta cujas flores brancas têm um aroma muito forte.

Jayne - **Jeane** - variantes de Jane.

Jeanette - **Jeannette** - formas diminutivas de Jeanne / Joana.

Jeanne - forma francesa de Jane / Joana. Forma diminutiva: Jeanette.

Jemima - **Jemimah** - de origem hebraica, significa "pomba". Formas diminutivas: Mima / Mina.

Jemma - variante de Gema / Gemma.

Jenna - **Jenni** - **Jennie** - formas diminutivas de Jane.

Jennifer - **Jenifer** - **Jênifer** - de origem galesa, significa "de rosto ou faces brancas"; diminutivos: Jen / Jennie / Jenny.

Jenny - diminutivo de Jane / Jênifer.

Jeni - forma aportuguesada de Jennie / Jenny / Joana. Variante brasileira: Geni.

Jerusa - de origem hebraica, é a forma reduzida de Jerusalém; variante: Gerusa.

Jerusha - de origem hebraica, significa "possuída, casada".

Jess - forma diminutiva de Jéssica / Jessie.

Jessi - forma portuguesa de Jessie.

Jéssica - de origem hebraica, significa "Deus olha".

Jessie - **Jessi** - **Jessy** - formas diminutivas de Jane / Janet / Joana.

Jezabel - **Jezebel** - de origem hebraica, significa "ilha, local ermo, localidade despovoada".

Jillian - variante feminina inglesa de Julian. Formas diminutivas: Jill / Jilly.

Jo - **Jô** - **Jó** - formas diminutivas de Joana / Joaquina / Josefina.

Joan - **Joana** - **Joann** - **Joanna** - **Joanne** - formas femininas para João / John. Diminutivos: Joanie / Joanina / Joni.

Jocasta - de origem grega, significa "aquela que cura de veneno".

Joceli - forma variante de Jocelim.

Jocelim - Jocelin - Jocelina - Jocelyn (ing.) - de origem germânica, significa "referente aos godos (antigo povo germânico originário das regiões meridionais da Escandinávia). Diminutivos ingleses: Jos / Joss.

Jocelina - Joscelin (fr.) - Josceline (fr.) - formas femininas para Jocelino.

Jodie - Jody - formas diminutivas inglesas para Judite.

Joelma - variante feminina para Joel.

Jolly - Jolyon - formas variantes inglesas para Júlia.

Joni - forma diminutiva inglesa para Joan / Joana.

Jordana - Giordana (it.) - forma feminina de Jordão.

Jordina - forma diminutiva feminina de Jordão.

Jorgina - variante feminina de Jorge.

Joseane - Joseana - Josiane - junção dos nomes José e Ana / Ane.

Josefa - Josepha (ing.) - variante derivada de José.

Josefina - Josephine (ing.) - forma derivada de José. Diminutivos ingleses: Jo / Josie / Phenie; diminutivos espanhóis: Fina / Pepita.

Josélia - Joselita - variantes femininas de José.

Josenilva - junção dos nomes José e Nilva.

Josete - Josette - variante francesa para Josefina.

Josie - Josi - variante diminutiva de Josefina.

Josielma - junção dos nomes Josi com Elma.

Josimere - junção dos nomes Josi com Méri / Maria.

Joslaine - junção dos nomes José com Elaine.

Jovanka - forma eslava para Joana.

Jovelina - variante de Jovina.

Jovina - de origem latina, significa "protegido por Júpiter, dado por Júpiter".

Jovita - de origem latina, significa "energia, juventude ativa".

Joy - de origem inglesa, traduz o sentimento de intensa felicidade.

Joyce - Joice - de origem latina, significa "esportiva"; de origem normanda, significa "senhor".

Juana - forma espanhola de Jane / Joana; forma diminutiva: Juanita.

Juçara - de origem tupi, é o nome de uma palmeira.
Jucê - de origem tupi, significa "limpo, higiênico".
Juceli - **Joceli** - variante de Jucê.
Juceslei - variante de Juceli.
Juciane - junção de nomes Jucê com Ane.
Judite - **Giudita (it.)** - **Judith (ing.)** - de origem hebraica, significa "louvada, abençoada". Formas diminutivas inglesas: Jodie / Judy.
Júlia - forma feminina de Júlio. Variantes: Juliana / Júlie; diminutivo espanhol: Jill.
Juliana - **Júlie** - variantes de Júlia.
Juliene - variante francesa para Juliana.
Julieta - **Giuletta (it.)** - **Juliette (fr.)** - forma diminutiva de Júlia.
Julita - **Junai** - variantes de Júnia.
June - forma francesa e inglesa de Juno.
Junei - **Juney** - variante de Júnia.
Júnia - de origem latina, significa "jovem, moça".
Junilde - junção dos nomes Juno com Ilde.
Juno - de origem latina, significa "a florescente na juventude"; era uma deusa romana, rainha do Olimpo, esposa de Júpiter, também chamada de Hera.
Juraci - de origem tupi, significa "mão das conchas". Diminutivos: Juju / Jura.
Juracilda - junção dos nomes Juraci com Ilda.
Jurecê - de origem tupi, significa "boca doce".
Jurema - de origem tupi, "espinheiro suculento" ou "bebida de enfeitiçar".
Jurene - variante de Juruna.
Juriti - de origem tupi, significa "pombinha, pomba".
Juruna - de origem tupi, significa "boca negra".
Juvelina - variante de Jovelina, derivada de Jove, referente a Júpiter.
Juvenca - de origem latina, nome de uma ninfa.
Juventa - nome de uma deusa romana.
Juventina - de origem latina, significa "jovem, moça".
Juvina - variante feminina de Jovino.

k

MENINAS

Kabila - de origem árabe, significa "tribo".

Kalantha - **Kalanthe** - forma variante de Calanta.

Kali - nome de uma terrível divindade hindu. É a deusa da destruição, morte e sexualidade, considerada por algumas culturas como a esposa do deus Shiva. Com origem no sânscrito, significa "escura".

Kalinca - variante de Catarina.

Kara - variante de Cara.

Káren - forma escandinava e holandesa para Catarina.

Karian - variante de Karin.

Kárin - forma escandinava para Catarina.

Karla - forma feminina para Carlos.

Karlotte - forma germânica para Charlotte.

Karoline - forma germânica de Carolina.

Kate - forma diminutiva de Catarina.

Kath - **Kathie** - **Kathy** - **Katrine** - variantes germânicas diminutivas de Catarina.

Katherine - **Katharina** - formas inglesas para Catarina, usando os seguintes diminutivos: Kate / Kath / Katie / Katy / Kay / Kittie.

Kathleen - forma irlandesa para Catarina.

Kathryn - forma americana para Catarina.

Kátia - **Katya** - variante russa de Catarina.

Katinka - forma russa para Catarina.

Katyusha - forma diminutiva russa para Catarina.

Kauna - variante de Cauana.

Kay - **Kaye** - de origem gaélico-escocesa, significa "gigante"; forma diminutiva de Catarina.

Kayla - **Kayley** - **Keile** - possivelmente do gaélico-irlandês, de significado incerto.

Keila - variante de Kayla.

Kelly - com origem no gaélico irlandês, significa "descendente da guerra, guerreira".

Kellyn - variante de Kelly.

Kendra - variante feminina de Kendrick.

Kerly - variante de Kern.

Kerstin - variante germânica de Catarina.

Keturah - de origem hebraica, significa "incenso".

Kezia - **Keziah** - de origem hebraica, significa "cácia (nome de uma árvore)"; forma inglesa para Cácia.

Kim - forma diminutiva do nome inglês Kimberley.

Kimberley - com origem no velho inglês, significa "clareira na mata, clareira".

Kíria - de origem grega, significa "senhor, senhores".

Kirsten - **Kirstin** - forma escandinava para Cristina.

Kírstie - **Kirsty** - variantes de Kirsten.

Kish - de origem hebraica, significa "presente, dádiva".

Kiti - **Kíti** - **Kity** - formas reduzidas russas de Catarina.

Kizzie - **Kizzy** - variantes inglesas para Kezia / Cácia.

Klara - forma germânica para Clara.

Konstanze - forma germânica para Constância.

Kora - variante de Cora.

Korah - de origem hebraica, significa "calvície, nudez".

Kristeen - variante de Cristina.

Kyrena - variante de Cyrena.

MENINAS

Lacínia - de origem latina, derivado do nome de uma cidade romana chamada Lacínia.

Lady - de origem inglesa, significa "senhora".

Laetitia - forma latina para Letícia, cujo significado é "alegria, felicidade".

Lafaiete - **Lafayette** - de origem francesa, é o diminutivo de faia, nome de uma árvore.

Laila - de origem árabe, significa "formosa" ou "negra como a noite".

Laís - de origem grega, significa "a democrática, a popular".

Lakshmi - deusa hindu da saúde, fortuna e beleza, esposa de Vishnu; através do sânscrito, significa "símbolo, portento, felicidade".

Lala - forma carinhosa para Alda / Laura / Luísa.

Lalica - forma diminutiva de Laura.

Laline - variante de Lalita.

Lalita - de origem no idioma sânscrito, significa "agradável".

Lamartine - de origem francesa, sobrenome de um grande poeta romântico, significa "a senhora Martina".

Lamberta - de origem germânica, significa "famosa, conhecida em suas terras".

Lana - de origem latina, italiana, significa "lã"; no inglês, variante de Alana.

Landelina - composição de "land" (terra, em inglês) e Lino.

Lane - com origem no velho inglês, significa "estrada estreita".

Lara - de origem latina, forma diminutiva de Larissa, derivada de Laura.

Laraine - de origem no velho francês, significa "a rainha". É uma variante de Lorena / Lorraine.

Larência - na mitologia romana, foi a mãe adotiva de Remo e Rômulo.

Larina - forma diminutiva de Lara.

Larissa - **Larisa** - é uma formação greco-russa, significa "felicidade". Formas reduzidas: Lara / Lissa.

Latisha - variante para Laetitia / Letícia.

Laudete - de origem latina, significa "louvai, louvor".

Laudicéia - de origem latina, significa "que louva, que exalta".

Laudicena - de origem grega, significa "quem adestra, doma o povo".

Laura - de origem latina, significa "louro (o nome de uma planta)".

Laurabel - junção dos nomes Laura com Mabel.

Laureci - variante de Laura.

Laurel - forma inglesa para Laura.

Lauren - **Laurie** - **Loren** - formas femininas inglesas para Laurence / Lourença.

Laurette - **Laureta** - **Laurete** - **Lauretta** - **Lorete** - formas variantes de Laura.

Lauriana - variante feminina de Lauro.

Laurita - forma derivada de Laura.

Lavender - nome inglês de uma planta; em português, "alfazema". Possui origem no velho francês. Variante: Lander.

Laverne - com origem no velho francês, significa "a mais velha árvore". Formas variantes: Verna / Verne.

Lavínia - de origem latina, significa "natural de Lavínia (cidade romana)".

Lazariane - variante feminina de Lázaro.

Lázara - de origem hebraica, significa "sem ajuda"; variante de nomes bíblicos como Eleazar e Lazar.

Lea - de origem latina, significa "leoa". Variantes portuguesas: Léia / Lia; variantes inglesas: Leah / Lee.

Leah - **Lia** - de origem hebraica, significa "lânguida" ou "vaca selvagem". Variantes: Lea / Lee.

Leane - variante de Leanne / Liane.

Leanne - combinação dos nomes Lee e Anne.

Leanora - **Leanore** - forma germânica de Eleanor.

Leci - anagrama de Celi.

Leda - com origem na mitologia grega, significa "mãe da beleza"; pelo latim, "risonha, feliz, alegre".

Ledir - variante de Leda.

Léia - variante de Lea.

Leila - de origem arábica, significa "escura, noite". Variantes: Laila / Lela / Lila / Lilah.

Leilane - junção dos nomes Leila com Ana / Ani.

Lele - forma reduzida italiana de Gabriele / Michele.

Lélia - de origem latina, significa "muito falante, tagarela".

Lella - forma reduzida italiana para Gabriele / Raffaele.

Lemuela - de origem hebraica, significa "consagrado a Deus".

Lena - de origem latina, significa "sedutora". Forma reduzida de Helena / Madalena.

Leni - **Lenir** - **Lenira** - variante de Lenora / Lenore.

Lenilda - junção dos nomes Leni com Ilda.

Lênis - de origem latina, significa "suave, agradável".

Lenita - variante de Lenir.

Lenora - **Lenore** - variante de Leonora.

Leocádia - de origem grega, latinizado, significa "branco, cândido".

Leona - forma latina para Leão.

Leonarda - de origem germânica, significa "forte como um leão".

Leonésia - variante feminina derivada do nome Leão / Leone.

Leoni - **Leone** - **Leônia** - variantes de Leão.

Leonice - composição através de Leão com o sufixo "ice".

Leonida - variante de Leone.

Leonila - variante feminina para Leão.

Leonilda - de origem germânica, significa "aquela que combate como um leão".

Leonira - **Leonisa** - variantes femininas de Leão.

Leonora - **Eleanor (ing.)** - **Lenora** - de origem grega, significa "que tem luz própria, luminosa". Diminutivo: Nora.

Leonoreta - forma diminutiva de Leonor.

Leonita - variante diminutiva de Leão.

Leontina - **Leontine** - **Leontyne (ing.)** - variantes de Leão.

Leopoldina - forma diminutiva de Leopoldo.

Lésia - **Lísia** - variantes de Lis / Lírio.

Leslie - **Lesley** - de origem gaélica, significa "jardim para a água".

Letícia - **Laetitia (ing./lat.)** - **Lettice** - **Letizia (it.)** - de origem latina, significa "alegria, felicidade". Formas diminutivas: Lettie / Letty.

Lexie - **Lexy** - formas reduzidas inglesas de Alexandra.

Lia - de origem hebraica, significa "cansada, exausta"; variante: Lea.

Liana - **Liane** - **Lianna** - **Lianne** - de origem grega, significa "sol". Variantes inglesas: Leana / Leane / Leanna.

Libânia - de origem latina, significa "vinda do monte Líbano".

Libby - diminutivo inglês de Elisabete / Elizabeth.

Libéria - de origem latina, significa "livre, libertado".

Libória - de origem latina, significa "aquele que faz bolos" ou "luz do coração".

Lícia - de origem grega, significa "luz" ou "lobo".

Licínia - de origem latina, significa "cabelos lisos"; do etrusco, "de nariz torto".

Lídia - **Lydia (ing.)** - de origem grega, significa "irmã", ou natural da Lídia, antigamente região da Ásia Menor, com muitos relatos no Novo Testamento.

Lidiane - variante de Lídia.

Liduína - de origem germânica, possivelmente significando "amiga".

Liese - forma diminutiva inglesa para Elisabeth.

Lieta - de origem italiana, significa "contente"; pode ser forma derivada de Lia.

Lígia - de origem germânica, significa "proveniente da Lígia".

Lil - forma diminutiva de Lilian / Lily.

Lila - variante inglesa de Leila e diminutivo de Delilah.

Lilac - de origem persa, significa "azulado, lilás"; nome de uma planta inglesa com flores perfumadas brancas ou avermelhadas.

Lili - variante de Lilie.

Lília - **Lílian** - de origem latina, significa "lírico".

Lílian - variante de Lília / Lillian / Lily e forma reduzida de Elisabete / Elisabeth.

Liliana - procedente do nome francês Liliane.

Lilias - **Lillias** - forma escocesa de Lílian.

Lilibet - forma diminutiva de Elisabeth.

Liliosa - de origem latina, significa "pura, branca, cândida".

Lilith - de origem hebraica, significa "da noite, referente à noite".

Lily - nome de uma planta que ostenta flores brilhantes; variantes: Lil / Lili / Lilli.

Lin - forma reduzida de Linda.

Lina - forma reduzida de nomes terminados em "iná", como Adelina, Celina e Selina.

Linda - nome originário dos adjetivos, em português, linda e bela; ou forma diminutiva de Belinda / Deolinda / Ermelinda / Rosalinda etc. Variante: Lynda; formas diminutivas: Lin / Líndie / Lindy.

Lindalva - junção dos nomes Linda e Dalva.

Lindóia - nome feminino usado por Basílio da Gama na epopeia Uraguai.

Linéia - variante de Lineu.

Linnette - **Linete** - variantes de Lynette.

Linsay - **Linsey** - formas femininas variantes de Lindsay.

Lio - de origem hebraica, significa "cansada, exausta"; variante: Lea.

Lionete - variante feminina de Lionel.

Líria - nome de uma planta cujas flores são brancas e perfumadas e é símbolo da pureza.

Liriane - variante de Líria.

Lis - forma reduzida de Elisabeth.

Lisa - **Liza** - forma reduzida de Elisa / Elisabete.

Lisabete - variante de Elisabete.

Lisânias - de origem grega, significa "que desfaz a desgraça".

Lisbeth - **Lizbeth** - formas diminutivas de Elisabeth.

Liselote - junção dos nomes Lisa e Lote, este derivado de Charlote.

MENINAS

Lisete - **Lisetta** - **Lisette** - formas variantes de Elisa / Élise e Louise / Luísa.

Lisiane - forma feminina derivada de Lísio.

Lisolete - junção dos nomes Lisa com Loti.

Lissa - forma diminutiva de Larissa e de Melissa.

Lívia - de origem latina, significa "lívido, pálido".

Liviana - variante de Olívia.

Liz - **Lisa** - **Liza** - formas reduzidas de Elisabeth.

Lizzie - **Lizzy** - formas diminutivas de Elisabeth.

Lodia - **Lodi** - de origem italiana, significa "louvor, elogios".

Lois - de origem grega, deve ter o significado de "desejado, bom".

Lola - **Lolly** - formas diminutivas de Dolores.

Lolita - variante de Lola.

Lonnie - **Lôni** - **Lony** - variantes de Lenny; formas diminutivas de Alonso.

Lora - forma galesa de Laura.

Loredana - de origem latina, significa "bosque de louros".

Lorelai - de origem germânica, significa "rocha, sentinela, espreita".

Lorella - **Loreta** - **Lorette** - **Lorina** - **Lóris** - variantes de Laura.

Lorena - **Laraine (fr.)** - **Lorraine (fr.)** - formas derivadas femininas de Lauro, nome de uma pequena cidade italiana e de uma província francesa; formas reduzidas de Loredana.

Loreta - **Loretta** - de origem latina, significa "um pequeno bosque de loureiros".

Loriana - junção dos nomes Lori com Ana.

Lorita - **Lorizete** - variantes diminutivas de Lóris.

Lorna - variante espanhola de Laura.

Lou - forma reduzida de Louisa / Louise / Luísa.

Lourdes - nome de uma cidade francesa nos Pirineus, local em que houve aparições de Nossa Senhora, de onde se originou Nossa Senhora de Lourdes (ou Lurdes). Variantes: Lu / Lurdinha.

Lottie - **Lotty** - formas reduzidas de Charlotte.

Louella - combinação dos nomes Louise com Ella; variante Luela.

Luana - **Louanne** - **Luanne** - formação pela junção dos nomes Luísa e Ana.

Lucasta - junção de palavras latinas significando "luz pura, luz casta".

Lucéia - variante de Lúcia.

Lucélia - forma feminina derivada de Lúcio.

Lúcia - Lucy (ing.) - de origem latina, significa "luminoso, brilhante".

Luciana - variante de Lúcia.

Lucídia - de origem latina, significa "luminoso".

Lucila - forma feminina diminutiva de Lúcio.

Luciléia - combinação dos nomes Lúcia com Léia.

Lucília - variante feminina de Lúcio.

Lucimar - junção dos nomes Lúcia e Maria.

Lucimara - variante de Lucimar.

Lucinda - forma derivada de Lúcio.

Lucínia - variante de Lúcio.

Lucíola - de origem latina, significa "pequena luz".

Lucrécia - Lucrezia (it.) - de origem latina, significa "aquele que atrai, que lucra".

Ludmila - de origem russa, significa "amada pelo povo".

Ludinéia - de origem latina, significa "alguém dedicado a divertimentos, jogos".

Luela - variante portuguesa para Louella.

Luigia - Luigina - formas italianas femininas para Luís.

Luísa - Luíse - forma feminina de Luís; variantes: Luisina / Luisinha.

Lulu - forma reduzida de Luísa.

Lupe - Lupita - formas variantes de Guadalupe em espanhol.

Lurdes - forma aportuguesada de Lourdes; em sua origem basca, significa "escarpa, altitude íngreme".

Luzia - variante de Lúcia; forma reduzida: Lu.

Lydia - forma inglesa para Lídia.

Lyn - forma reduzida de Lynette e Lynsay.

Lynda - variante de Linda; formas reduzidas: Lyn / Lynn / Lynne.

Lyris - de origem grega, significa "aquela a quem agrada a harpa".

Lysander - Lysandra - formas femininas inglesas para Lisandro; forma reduzida: Sandy.

m

MENINAS

Mabel - de origem latina, significa "amável, adorável"; variante de Amabel e pode ser de Maybelle.

Mabelle - forma francesa de Mabel.

Mabilda - variante de Mabel.

Mabília - variante de Amabília; do latim, "aquela que é amada, que deve ser amada".

Macunaíma - de origem indígena, significa "o bom que trabalha à noite".

Maela - derivação do nome hebraico Ismaela cujo significado é "Deus é salvação".

Madalena - **Maddalena (it.)** - **Madeleine (fr.)** - **Madeline (ing.)** - de origem hebraica, significa "a que tem os cabelos prateados, excelsa" ou "oriunda de Magdala". Formas reduzidas do inglês: Maddie / Maddy; do português: Mada / Lena; variantes: Magdalena / Magdalene.

Madelina - variante de Madalena.

Madge - forma reduzida inglesa de Margaret / Marjory.

Madonna - de origem italiana, significa "minha senhora"; título dado a Nossa Senhora.

Mae - variante de May.

Maeli - variante de Mae / Maria / May.

Maelona - de origem galesa, significa "princesa"; forma diminutiva: Lona.

Maeve - de origem celta, significa "intoxicante"; variantes: Mave / Meave.

Mafalda - variante de Matilda / Matilde.

Magali - de origem provençal, significa "pérola"; diminutivo de Margarida.

Magda - forma germânica e escandinava de Madalena.

Magdalene - **Magdalen** - **Magdalena** - **Magdalina** - variantes de Madalena.

Maggie - forma diminutiva de Margarete.

Magid - **Mágida** - **Mágide** - de origem árabe, significa "cheia de glória".

Magnólia - **Magnolia** - com origem no nome de um botânico francês, Pierre Magnol, é o nome de um arbusto que produz belíssimas flores de cores vinho e branco e com suave aroma.

Magred - **Magrid** - de origem germânica, seu significado é incerto.

Mahalia - de origem hebraica, significa "ternura, delicadeza".

Mai - **Mair** - formas galesas de May.

Maia - de origem grega, significa "parteira".

Maida - nome de uma localidade espanhola onde se travou grande batalha.

Maike - **Mayke** - derivado de Mike, forma reduzida de Miguela.

Maíra - variante de Mair.

Mairead - forma irlandesa de Margarete.

Mairi - forma gaélico-irlandesa de Mary.

Maísa - forma feminina de Mair; ou, pelo grego, "pérola".

Maisie - forma diminutiva de Margarete.

Mália - **Malina** - variantes de Amália.

Malina - de origem hebraica, significa "torre".

Malinda - de origem grega, significa "gentil, cortês, polido".

Malque - de origem árabe, significa "rainha".

Malu - **Milu** - formas reduzidas de nomes como Maria Luísa e Maria de Lurdes.

Malva - de origem latina, é o nome de uma planta medicinal e, pelo grego, significa "macio".

Malvina - de origem gaélico-escocesa, significa "testa polida, cume liso".

Mame - **Mamie** - formas inglesas reduzidas de Mary.

Manda - forma reduzida de Amanda.

MENINAS

Mandu - **Manduca** - alteração do nome Manuel para uma forma popular.

Mandy - forma reduzida inglesa de Amanda / Miranda.

Manette - variante francesa de Mary.

Manna - **Mana** - forma reduzida de Ermana / Manoela.

Manu - forma reduzida de Emanuela / Manoela / Manuela.

Manuela - **Manoela** - **Manola** - **Manon** - **Manuele** - variantes de Emanuela.

Mara - **Marah** - de origem hebraica, significa "amarga"; possui origem no nome Noemi, a viúva honesta do livro de Rute (Bíblia).

Maraísa - junção dos nomes Mara com Isa.

Marcela - de origem latina, significa "originário de Marte, deus da guerra"; diminutivo de Marcos.

Marceli - junção dos nomes Maria com Celi.

Marcelina - forma feminina diminutiva de Marcelo.

Marci - variante de Márcia.

Márcia - **Marzia (it.)** - de origem latina, significa "guerreiro, que usa o martelo, martelador".

Marciana - variante de Márcia.

Marciolina - variante feminina diminutiva de Márcio.

Mared - forma galesa de Margarete.

Marella - forma diminutiva italiana de Mara.

Marfa - variante russa de Marta.

Marfisa - possivelmente derivado de Marfa (russo); variante de Marta.

Marga - forma reduzida de Margarete.

Margarete - forma francesa, dinamarquesa e germânica para Margarida.

Margarida - **Margaret (ing.)** - **Margaretha (hol.)** - **Margarita (esp.)** - **Margherita (it.)** - de origem latina, significa "pérola". Formas reduzidas no inglês: Madge / Maggie / May / Meg / Meggie / Meta / Peg; no germânico: Grete / Gretchen.

Margery - forma diminutiva medieval de Margarete; variantes: Marjorie / Marjory.

Margô - **Margaux (fr.)** - **Margot (fr.)** - variante de Margarida.

Mari - **Mári** - forma galesa e irlandesa de Maria.

Maria - **Mariam (gr.)** - **Marie (fr.)** - **Marinka (rus.)** - **Mary (ing.)** - de origem hebraica, significa "amarga, sua revolta, estrela-do-mar". Por ter sido o nome da mãe de Jesus, é um dos mais difundidos na humanidade.

Marialva - **Marialba** - junção de nomes Alva e Alba com Maria.

Marian - forma francesa de Marion.

Mariângela - combinação dos nomes Maria e Ângela.

Mariana - **Marianna** - **Marianne** - formas derivadas de Maria, combinação de Maria com Ana.

Maribela - **Maribel** - **Maribella** - combinação de Maria com Bela / Bella.

Maricilde - junção dos nomes Maria e Ilde.

Mariceli - **Maricili** - junção dos nomes Mari com Celi.

Maricota - **Mariquinha** - **Mariquinhas** - formas diminutivas para Maria.

Mariel - variante para Maria.

Mariella - **Marielle** - variantes para Maria / Mariazinha.

Marielsa - junção dos nomes Marie e Elsa.

Marieta - **Marietta** - forma diminutiva italiana para Maria.

Marigold - nome de uma flor dourada.

Marila - junção dos nomes Maria com Madalena.

Marilda - combinação dos nomes Mari e Ilda.

Marilei - **Mariléia** - **Marileide** - variantes de Maria.

Marilena - **Marilene** - combinação dos nomes Mari com Helena.

Marilete - forma derivada de Maria.

Marília - composição com o nome Maria e um sufixo de fantasia.

Marilice - junção dos nomes Maria com Alice.

Marilu - forma reduzida da composição dos nomes Maria e Luísa.

Mariluce - de origem latina, significa "luz do mar".

Marilyn - forma diminutiva inglesa para Maria.

Marina - **Marin** - de origem latina, relativo ao mar.

Marinalda - junção dos nomes Mari e Alda.

Marinei - variante de Maria.

Marinella - variante de Marina.

Marinês - composição com os nomes Maria e Inês.

Marinka - forma russa para Maria.

Mariolina - forma diminutiva italiana para Maria.

Marion - variante francesa de Maria.

Mariona - variante espanhola para Maria.

Marisa - **Marise** - **Mariza** - fusão dos nomes Maria com Luísa.

Marisete - forma diminutiva de Marisa.

Marisílvia - junção dos nomes Mári com Sílvia.

Maristela - de origem latina, significa "a estrela-do-mar (lembrando uma das invocações feitas a Nossa Senhora, protetora dos viajantes do mar)".

Marita - forma diminutiva de Maria.

Mariucha - variante italiana de Maria / Mariuccia.

Marjorie - **Marjory** - variantes de Margery; formas reduzidas: Madge / Marge.

Marlene - contração inglesa do nome Maria Madalena.

Marlete - forma diminutiva de Marli.

Marli - **Marly** - variante de Maria.

Marlies - junção dos nomes Maria e Lise.

Marlise - contração dos nomes Marie Lise, ou seja, Maria Elisa.

Marlowa - forma feminina para Marlow.

Marluce - contração de nomes Maria e Lúcia.

Marlusa - **Marluza** - variantes femininas de Marlow.

Marly - variante de Maria.

Maroca - forma popular para Maria, variante: Maruca.

Marsha - variante inglesa para Márcia.

Marta - **Martha (ing.)** - **Marhe (fr.)** - de origem aramaica, significa "senhora".

Martana - variante de Marta.

Marti - forma diminutiva feminina inglesa de Martina / Martine.

Martina - **Martine (fr.)** - forma diminutiva: Marti.

Martinha - forma diminutiva de Marta.

Martita - variante de Marta; forma reduzida: Tita.

Maruska - forma grega para Maria.

Mary - forma inglesa para Maria, com as variantes Marion e Miriam. Formas diminutivas: Mamie / May / Minnie / Mollie / Polly.

Maryann - **Maryanne** - junção inglesa dos nomes Mary e Ann / Anne.

Marylou - variante inglesa de Marilu.

Matilde - **Matilda** - de origem germânica, significa "grande guerreira, guerreira hábil". Variante italiana: Matelda; formas reduzidas: Mat / Matty.

Mattie - forma reduzida, em inglês, de Matilde.

Maud - **Maude** - formas medievais inglesas para Matilda / Matilde e Madalena.

Maura - forma irlandesa para Maria / Mary.

Maureen - forma diminutiva irlandesa para Mary.

Maurina - variante de Maura.

May - forma reduzida de Mary / Maria.

Mayara - variante de May.

Maybelle - **Maibela** - forma composta por May e Belle.

Mécia - de origem latina, referente a maio.

Medarda - de origem céltica, significa "boa e valente".

Medéia - **Medea** - de origem grega, significa "entendida, perita"; era o nome de uma princesa com superpoderes e que ajudou Jasão a obter o velocino de ouro.

Medusa - de origem grega, significa "a dominante, a governadora".

Megan - forma diminutiva galesa para Margarete.

Melânia - **Melanie (fr./ing.)** - de origem grega, significa "escura".

Melba - forma variante de Malva.

Melca - **Milca** - de origem hebraica, significa "rainha".

Melena - variante de Milena, ou do termo "melena de cabelo", "madeixa".

Melina - **Méline** - variante de Amélia.

Melinda - **Melinde (fr.)** - de origem grega, significa "mel, doçura".

Melissa - de origem grega, significa "abelha".

Melita - **Mélita** - de origem latina, significa "doce como o mel".

Melitina - forma feminina variante de Melito.

Melody - nome de origem inglesa, significa "melodia, tonalidade".

Melvina - de origem irlandesa, significa "chefe polido, chefe cortês".

Mena - forma reduzida de Filomena.

Meraci - variante de Maria ou Mercy.

Mercedes - de origem espanhola, significa "mercês, graças, favores, bondades".

Mércia - variante de Mercy.

Mercy - de origem inglesa, significa "obrigado, agradecido, graças".

Meredith - de origem galesa, significa "senhor".

Meriel - forma galesa de Muriel, com as variantes Merle e Meryl.

Mia - forma reduzida de Maria.

Micaela - variante feminina de Miguel.

Michaela (ing.) - Michaella (it.) - Michela (it.) - Michelle (fr.) - formas femininas de Miguel.

Mignonette - de origem francesa, significa "doçura, maravilha, gostosura".

Miguela - Michele (it.) - Michèle (fr.) - Miguelina - de origem hebraica, significa "aquela que é como Deus", nome de um anjo muito poderoso e assessor direto de Deus.

Mil - forma diminutiva de Mildred / Millicent.

Mila - forma reduzida de Milena ou Milagros.

Milagrosa - de origem latina, possui formação espanhola e significa "milagre".

Milca - Milcah - de origem hebraica, significa "rainha".

Milena - Milene - de origem serva, significa "amável, amorosa".

Millicent - de origem germânica, significa "trabalho e força". Forma diminutiva: Millie.

Miloca - variante de Emília.

Milu - a mesma forma que Marilu.

Milva - Mílvia - de origem latina, significa "nevoso, cheio de bruma".

Milly - forma reduzida de Emília.

Mimi - forma familiar de Maria e de Emília.

Mimosa - nome inglês de um arbusto tropical de flores amarelas.

Mina - Minna - Minne - de origem germânica, significa "amor, amorzinho"; forma diminutiva de Wilhelmina.

Minerva - deusa da sabedoria na mitologia romana, correspondente ao nome grego Atenas.

Minervina - variante de Minerva.

Minette - forma reduzida de Mignonette.

Minnie - forma diminutiva inglesa de May / Mary / Wilhelmina.

Minta - Minty - forma reduzida de Araminta.

Miquelina - forma feminina diminutiva para Miguel.

Mira - forma reduzida de alguns nomes, tais como Mirabel e Miranda.

Mirabel - Mirabela - Mirabelle - de origem latina, significa "maravilhosa, admirável".

Miracema - de origem tupi, significa "gente que nasce".

Miranda - de origem latina, significa "a admirável, a maravilhosa"; formas diminutivas inglesas: Mira / Myra.

Mirayde - variante de Miréia.

Miréia - Mireya - de origem provençal, é uma variante de Maria.

Mirella - Mireille - de origem latina, significa "sorridente, esplêndida, maravilhosa".

Míriam - Míria - variante de Maria.

Mirka - forma diminutiva de Miroslav; de origem eslava, significa "glória da paz".

Mirna - Myrna - de origem grega, significa "coroa de beleza, cortês".

Mirta - variante de Mirtes.

Mirtes - de origem grega, é o nome de uma planta: murta ou mirto.

Mirza - de origem persa, significa "nobre, fidalgo".

Mitzi - diminutivo de origem germânica para Maria.

Modesta - de origem latina, significa "humilde, recatada".

Modestina - variante feminina de Modesto.

Moema - de origem tupi, significa "exausta, cansada, desfalecida".

Moira - forma inglesa de Maria; variante: Moyra.

Moirai - de origem grega, é o nome da deusa da bondade e do fado.

Mollie - Molly - formas diminutivas de Maria / Mary.

Mona - de origem gaélico-irlandesa, significa "nobre".

Mônica - Monique - de origem latina, significa "conselheira".

Monroe - de origem escocesa, refere-se ao nome de um rio; variante: Munro.

Moramai - **Moramay** - junção dos nomes Moirai com May.

Moreen - variante de Maria / Mary.

Morena - de origem espanhola, significa "de cor morena, bronzeada".

Morgan - **Morgana** - de origem céltica, significa "habitante do mar".

Morna - variante escocesa de Mirna.

Muciana - variante de Múcio.

Múcia - de origem latina, significa "monco".

Munira - de origem árabe, significa "luminoso".

Musa - de origem grega, significa "fada dos morros"; era uma entidade na mitologia grega que inspirava artistas e poetas.

Musidora - de origem grega, significa "prenda das musas".

Myra - possivelmente anagrama de Mary.

Myrna - de origem gaélica irlandesa, significa "amada"; variante: Morna.

Myrtle - nome de um arbusto cujos frutos são vermelhos e doces.

n

MENINAS

Naara - de origem hebraica, significa "moça".
Naci - variante francesa para Ana.
Nadezka - forma russa de Nádia.
Nadi - de origem indígena, significa "mãe".
Nádia - **Nadehzda (ucr.)** - de origem ucraniana, significa "esperança".
Nadine - **Nadina** - variante francesa para Nádia.
Náiade - de origem grega, significa "ninfa das águas". Variante: Naida.
Nair - de origem árabe, significa "a estrela brilhante do navio, a brilhante".
Naira - de origem sânscrita, significa "chefe militar nobre".
Nairn - de origem céltica, significa "morador em velha árvore".
Nairne - de origem gaélica, significa "vinda do rio".
Nájela - de origem árabe, significa "olhos grandes".
Naldi - variante feminina de Naldo.
Name - de origem árabe, significa "dom de Deus, graça de Deus".
Nan - forma diminutiva inglesa de Ann / Nanette / Nancy.
Nana - forma diminutiva de Hannah.
Naná - forma reduzida de Ana.
Nanci - **Nancie** - **Nancy** - forma diminutiva de Ann.
Nanda - forma reduzida de Fernanda.
Nanette - formas diminutivas de Ana / Anna / Anne.
Nanny - variante de Ana.
Naomi - de origem hebraica, significa "prazer, agradabilidade".

Napea - de origem latina, significa "a moça do vale". Formas diminutivas: Napaea / Napia.

Nara - de origem inglesa, significa "a mais próxima e a mais querida".

Narcinda - variante de Narcisa.

Narcisa - de origem grega, significa "aquela que adormece". É o nome de uma flor que, segundo a mitologia, por obra dos deuses, veio da morte de um rapaz que admirava a própria beleza no espelho das águas.

Narda - de origem latina, significa "perfume, fragrância". Forma reduzida de Leonarda.

Nastássia - forma reduzida de Anastácia.

Nat - forma reduzida inglesa de Natália.

Natália - Natalie - Natalya (ing.) - Nathalie (fr.) - de origem latina, significa "a nascida no Natal, a nascida"; forma reduzida: Náti.

Natalina - de origem latina, refere-se ao dia do nascimento ou ao Natal.

Natânia - de origem hebraica, significa "prenda de Deus".

Natasha - Natacha - de origem russa, é a forma diminutiva para Natália.

Natércia - Nathércia - anagrama do nome Caterina. Formas reduzidas: Nate / Náti.

Nathânia - de origem hebraica, significa "presente de Deus". Formas diminutivas: Natene / Nathane / Nathene.

Natividade - Natividad (esp.) - de origem espanhola, significa "nascimento".

Nazaré - de origem hebraica, significa "sentinela, guarda"; do local Nazaré provém o nome de Nossa Senhora de Nazaré.

Nazarina - variante de Nazaré.

Nazira - variante feminina de Nazário.

Nazarina - de origem árabe, significa "senhora de belas feições".

Nebete - de origem latina, significa "pequena nevada".

Nebula - de origem latina, significa "névoa densa, cerração".

Neda - variante italiana para Nádia.

Nedda - de origem italiana, é uma forma diminutiva de Antonia.

Nefertiti - de origem egípcia, significa "beleza de cometa".

Néia - de origem grega, significa "nova, jovem".

Neide - **Neida** - de origem grega, significa "nadadora".

Neila - variante feminina de Neil.

Neiva - de origem latina, significa "névoa"; é nome de uma localidade lusa.

Nelci - variante de Nelsi.

Nelcídia - variante de Nelci com sufixo fantasioso.

Nelda - forma reduzida de Tusnelda.

Néli - **Nellie** - **Nelly** - variações de Nell.

Nélia - forma portuguesa de Nelly.

Nelita - forma feminina diminutiva de Nelo.

Nell - **Nellie** - **Nelly** - formas diminutivas inglesas de Eleanor / Ellen / Helen.

Nella - variante de Nelly ou forma reduzida de Giovannella.

Nelma - variante de Elma.

Nelsinda - variante feminina de Nélson.

Nêmesis - de origem grega, era o nome da deusa da justiça grega, a qual distribuía punições. Significa "ira, violência, talião, castigo dos erros". Variante: Nêmis.

Nena - apelido familiar para nomes exóticos ou para Helena.

Neófita - **Neofita** - de origem grega, significa "iniciante, noviço, convertido à nova fé".

Neoma - de origem grega, significa "lua nova".

Nercinda - **Narcinda** - variantes de Nercíndia.

Nerea - variante feminina de Nereu.

Nereida - **Nereide** - de origem grega, eram as filhas de Nereu e Dóris, eram ninfas do mar.

Néria - de origem latina, era o nome da deusa dos sabinos, povo vizinho de Roma, e com suas mulheres os romanos forçaram um casamento.

Nerice - **Nerina** - **Nerine** - **Nerissa** - de origem grega, significa "proveniente do mar". Variante de Nereida.

Nerivalda - junção dos nomes Neri e Valda.

Nerivanda - junção dos nomes Neri e Vanda.

MENINAS

Nessa - **Nessie** - formas diminutivas inglesas para Agnes / Inês / Vanessa.

Nesta - forma diminutiva galesa para Agnes / Inês.

Netta - **Nettie** - forma reduzida inglesa de Henrietta.

Neusa - de origem grega, significa "a nadadora".

Neviana - variante feminina de Névio.

Nice - de origem grega, significa "vitória"; do inglês, "agradável".

Nicéfora - de origem grega, significa "o portador da vitória".

Nícia - variante de Nice.

Nicole - forma feminina para Nicolau. Variantes: Colette / Nicky / Nicola / Nicoletta / Nicolette / Nicolina / Nikkie.

Nídia - de origem latina, significa "ninho, ninhos".

Nieves - de origem espanhola, é uma das invocações a Nossa Senhora, a Virgem das Neves.

Nikita - **Niklaus** - **Nikolenka** - variantes russas para Nicolau.

Nila - forma reduzida para Daniele.

Nilce - variante de Nice.

Nilda - forma reduzida de Brunilda / Ronilda.

Nilma - variante de Nelma.

Nila - de origem egípcia, vindo pelo latim e grego, significa "rio azul".

Nilséia - **Nilcéia** - variante feminina de Nílsen.

Nilva - variante de Nil.

Nilza - forma feminina de Nílson.

Nimu - **Nimue** - heróina da lenda do rei Artur, filha de Lancelot; variante feminina de Nimoi.

Nina - forma reduzida de vários nomes, tais como Nancy, Giovannina e outros.

Ninette - forma francesa diminutiva para Ana / Anne.

Ninfa - de origem grega, significa "noiva, jovem, moça".

Níobe - de origem na mitologia grega, era a filha de Tântalo; significa "neve branca".

Niocéia - de origem grega, significa "nova vitória, nova conquista".

Niraci - junção dos nomes Nil com Iraci.

Nirce - variante de Nice.

Nirvana - de origem sânscrita, significa "o nada, a quietude completa".

Nita - forma diminutiva para Anita / Juanita.

Nívea - de origem latina, significa "própria da neve, branca, nevosa".

Nixie - de origem germânica, é o espírito das águas. Formas reduzidas: Nissie / Nissy.

Noélia - variante feminina para Noel.

Noelle - **Noëlle** - forma feminina francesa de Noel.

Noemi - **Nohemi** - de origem hebraica, significa "minha delícia, minha maravilha".

Nolita - de origem latina, significa "sem vontade".

Nora - **Norah** - forma reduzida de Eleonoara / Honora / Leonora.

Nórcia - de origem latina, era a deusa da fortuna para os etruscos.

Noreen - forma irlandesa de Nora.

Norina - forma reduzida italina de Eleonora.

Norma - de origem latina, significa "lei, regra, regulamento".

Normalina - variante de Norma.

Nuala - forma diminutiva inglesa de Fionnuala.

Núbia - de origem egípcia, significa "terra dourada".

Numa - de origem latina, significa "lei, raiz".

Numídia - de origem latina, é o nome de uma região do norte da África.

Nunzia - **Nunziata** - variante italiana de Anunciação.

Nuria - de origem, provavelmente, catalã, significa "local entre colinas".

O

Ocela - de origem latina, significa "olho pequeno".

Ocirema - anagrama de Américo.

Octávia - variante de Otávio.

Oda - forma francesa feminina de Otto.

Odaléia - **Odalea** - de origem germânica, significa "bens, fortuna, riquezas".

Odélia - **Odália** - com origem no inglês antigo, significa "moça, menina, donzela robusta". Variante: Odelina.

Odemira - variante de Odemar.

Oderica - forma feminina para Oderico.

Odete - **Odette** - forma diminutiva de Oda.

Odila - **Odile (ing.)** - **Odilha** - **Odília** - **Odélie** - **Odille** - de origem germânica, significa "rica, vigorosa, saudável". Variantes: Odélia / Otília / Otilie / Ottilie.

Odile - **Odille** - formas inglesas para Odila.

Odina - forma feminina de Odin.

Odória - de origem latina, é a deusa dos perfumes.

Ofélia - **Ophelia (ing.)** - **Ophelie (fr.)** - de origem grega, significa "serpente" ou "auxílio, ajuda"; personagem do drama Hamlet de Shakespeare, tornando o nome muito conhecido.

Oiara - de origem tupi, variante de Iara.

Olanda - variação do nome Holanda.

Olavina - variante de Olavo.

Oleg - forma russa de Helga.

Olélia - de origem latina, significa "perfumada".

Olendina - de origem latina, significa "perfumada, aromática".

Olenka - variante russa de Oliva.

Olga - forma russa de Helga.

Olietta - variante italiana para Oliva / Olívia.

Olímpia - de origem grega, significa "do céu, celestial, divino"; na antiga Grécia, era o nome de um monte no qual habitariam os deuses.

Olina - variante de Olinda.

Olinda - de origem latina, significa "perfumosa, aromática, cheirosa"; de origem germânica, "escudo, proteção".

Olindina - variante de Olinda.

Olinta - de origem grega, significa "figo verde, figo silvestre".

Oliva - **Olivina** - variantes femininas de Olivo.

Olive - variante inglesa para Olívia.

Olívia - de origem latina, significa "oliveira, planta que produz a azeitona; azeitona".

Olwen - de origem galesa, significa "traço, vestígio branco".

Ombretta - de origem italiana, significa "pequena sombra". Forma reduzida: Etta.

Ondina - de origem latina, significa "pequena onda"; era o nome de uma ninfa.

Oneida - de origem irlandesa, significa "descendente do campeão".

Onélia - de origem irlandesa, significa "descendente de Noé".

Onete - variante diminutiva de Ona.

Onilva - variante de Nilva.

Ophrah - **Ophra** - de origem hebraica, significa "gamo novo, corço". Variantes: Ofra / Oprah.

Oraci - variante de Orácia.

Orazia - variante italiana para Horácia.

Ordália - de origem latina, significa "sentença advinda do resultado de um sacrifício aos deuses".

Orestilla - forma feminina italiana para Orestes.

Orestina - variante de Orestes.

Oriana - **Oriane** - de origem latina, pode significar "de ouro, dourada" ou "aquela que nascerá, surgente"; variante: Ouriana. No livro de cavalaria Amadis de Gaula, Oriana é a amada de Amadis.

Orisa - de origem grega, designa uma cidade.

Orjana - variante de Oriana.

Orla - de origem gaélico-irlandesa, significa "moça dourada, donzela de ouro".

Orlanda - variante de Rolanda.

Orlandina - variante de Orlando.

Orli - nome de uma localidade francesa, inclusive de um aeroporto perto de Paris.

Orlinda - variante de Orlanda.

Ormi - anagrama de Miro.

Orminda - variante de Ormi.

Ornella - de origem italiana, é o nome de uma planta cujos cachos de flores são muito perfumados.

Orsola - variante italiana de Úrsula.

Orsolina - **Orsetta** - variantes de Orsola.

Ortênsia - variante italiana para Hortênsia.

Oscarina - variante de Oscar.

Oscarlinda - junção dos nomes Oscar com Linda.

Osmana - variante de Osmann.

Osmarina - variante de Osmar.

Osmilda - de origem germânica, significa "generosidade, bondade dos deuses".

Osmira - de origem germânica, significa "brilho, glória dos deuses".

Osvalda - de origem germânica, significa "governante divino, poder de Deus".

Otávia - **Octavia (ing.)** - **Ottavia (it.)** - de origem latina, significa "o oitavo (normalmente o oitavo filho)". Variante: Otaviana.

Otélia - variante feminina de Otelo.

Otília - variante de Odila.

Ovídia - de origem latina, referente a ovelhas, "pastor de ovelhas".

Ozanam - variante de Hosana.

p

MENINAS

Pacífica - de origem latina, significa "cheia de paz, pessoa da paz".

Paddy - forma reduzida de Patrícia.

Paixão - de origem religiosa, refere-se à paixão e morte de Jesus Cristo.

Palmina - variante para Palmira.

Palmira - de origem latina, significa "palmeira" ou "terra das palmeiras".

Paloma - de origem espanhola, significa "pomba". Variantes: Coloma / Colombina.

Pâmela - de origem grega, significa "tudo mel, doçura".

Pandora - de origem grega, significa "dotada, talentosa". Segundo a mitologia grega, foi uma mulher a quem se deu uma caixa para manter fechada, mas ela a abriu e soltou todas as desgraças sobre a Terra.

Pantéia - de origem grega, significa "todos os deuses".

Paola - forma italiana e espanhola de Paula (a pronúncia é Páola, nunca Paôla).

Parisina - forma feminina de Páris.

Pascoalina - forma derivada de Páscoa.

Pasqualina - variante de Páscoa.

Pasquina - forma diminutiva de Páscoa.

Pastorina - variante de Pastor.

Pat - **Páti** - **Patri** - formas reduzidas de Patrícia.

Patrícia - **Patrice (fr.)** - **Patrizia (it.)** - de origem latina, significa "próprio da pátria, da mesma terra, fidalgo". Formas reduzidas: Pat / Paddy / Patsy / Pattie / Patty / Trícia.

Patty - forma reduzida para Patrícia ou apelido para Matilde.

Paulette - forma francesa para Paula.

Paulina - **Paoletta** - **Paolina** - **Pauline** - formas diminutivas de Paula.

Paula - **Paola** - de origem latina, significa "pequena, baixa".

Pavência - de origem latina, significa "que amedronta, que assusta".

Pavlova - forma eslava para Paula.

Paz - nome espanhol, significa "paz" em português.

Peace - de origem inglesa, significa "paz, tranquilidade".

Pearl - palavra inglesa que significa "pérola".

Pedrita - forma feminina para Pedro.

Peg - **Peggie** - **Peggy** - formas inglesas diminutivas para Margarete.

Penélope - de origem grega, significa "aquela que desfia tecidos". Formas reduzidas do inglês: Pen / Penny.

Penny - forma reduzida inglesa de Penélope.

Peony - de origem grega, significa "aquele que cura"; é o nome de uma planta com flores de várias cores: vermelha, amarela, branca e rosa.

Perdita - de origem latina, significa "perda"; nome inventado por Shakespeare, em The Winter's Tale.

Perla - forma espanhola de Pérola.

Pérola - de origem latina, glóbulo precioso que se forma nas conchas.

Perpétua - de origem grega, significa "eterno, perene, que dura sempre".

Perséfone - **Persephone** - de origem grega, significa "a que distribui trigo". Na mitologia grega, era a deusa do mundo dos mortos, do mundo existente no interior da Terra.

Petra - forma feminina de Pedro / Peter.

Petrina - forma diminutiva feminina de Petra.

Petrolina - variante feminina de Pedro / Petrolino.

Petronella - forma feminina de Petrônio.

Petrônia - de origem latina, significa "o quarto filho"; personagem famoso do império romano, um tipo de cronista social mundano da época. Variante: Petronilha.

Petula - de origem latina, significa "a que pergunta"; forma reduzida: Pet.

Phedra - de origem grega, significa "brilho"; nome de um contador de fábulas em Roma.

Phenie - forma diminutiva inglesa de Josefina / Josephine.

Phil - forma diminutiva de Philippa.

Philippa - forma feminina de Philip; formas reduzidas: Phil / Pippa.

Philomena - de origem grega, significa "amada e forte".

Phoebe - de origem grega, significa "lua".

Phyllis - de origem grega, significa "ramo verde"; variante: Phyllida.

Pia - forma feminina de Pio, que significa "piedoso, religioso".

Piedade - **Pietà (it.)** - de origem latina, significa "compaixão, dó".

Pierina - forma femina diminutiva italiana para Piero / Pedro.

Pilar - de origem espanhola, significa "fonte, pilar". Referência a Nossa Senhora do Pilar, que apareceu a São Jaime, o Grande, o qual estava em cima de um pilar. Forma reduzida: Pili.

Pina - forma reduzida italiana de Giuseppina.

Pirajá - de origem tupi, significa "viveiro de peixe".

Piraju - de origem tupi, significa "peixe dourado".

Pítia - de origem grega, significa "a informadora"; era uma sacerdotisa de Apolo que dizia prever o futuro.

Polda - **Poldina** - variantes femininas italianas de Leopoldo.

Policena - variante de Polixena.

Polly - forma diminutiva inglesa de Maria / Mary.

Pollyanna - **Poliana** - nome composto por Polly e Anna.

Polônia - variante feminina de Apolônio.

Pomona - de origem latina, significa "frutífera"; conforme a mitologia romana, era a deusa dos frutos.

Pompéia - **Pompônia** - variantes femininas de Pompeu.

Poppy - nome inglês de uma planta cujas flores são de um vermelho brilhante.

Porcina - variante de Pórcio.

Porciúncula - nome feminino derivado da invocação católica a Nossa Senhora da Porciúncula. Hoje, basílica situada aos arredores de Assis, na Itália.

Porongaba - de origem tupi, significa "beleza, formosura".

Portia - de origem latina, significa "presente, donativo, dádiva".

Potira - de origem tupi, significa "flor da água".

Prazeres - de origem religiosa, através de Nossa Senhora dos Prazeres.

Preciosa - de origem latina, significa "valiosa, de muito valor, de bom preço".

Prima - de origem latina, significa "o primeiro filho, o primogênito".

Primina - variante de Primo.

Priscila - **Priscilla** - de origem latina, significa "dos velhos tempos, de antigamente"; formas reduzidas: Cilla / Prissie.

Prisciliana - variante de Priscila.

Prisca - de origem latina, significa "antigo, dos velhos tempos, de antigamente".

Protásia - de origem grega, significa "o primeiro trecho, a primeira parte".

Prudência - de origem latina, significa "cautelosa, cuidadosa"; formas reduzidas inglesas: Prue / Prudie.

Prunella - de origem latina, significa "pena de ave".

Psyche - **Psyché** - de origem grega, significa "alma, psique"; foi a amada de Eros.

Públia - de origem latina, significa "popular, democrático".

Pulquéria - de origem latina, significa "muito bela, belíssima".

Pura - **Puri** - de origem latina, significa "puro, casto"; nome espanhol.

Pureza - proveniente de invocação católica a Nossa Senhora.

Purdey - atual nome feminino inglês, significa "dia límpido, manhã clara".

Purificação - **Purification (ing.)** - nome feminino de origem católica, proveniente de Nossa Senhora da Purificação.

q

Queenie - forma diminutiva para a palavra "queen", em inglês, "rainha", com origem no velho inglês.

Quenby - com origem no velho inglês, significa "solar da rainha, castelo da rainha".

Quenel - **Quennel** - com origem no velho inglês, significa "guerra da rainha".

Querida - nome usado pelos ingleses, com o significado próprio, "amada".

Quinby - variante de Quenby.

Quincy - **Quincey** - de origem latino-francesa, significa "o quinto lugar".

Quinta - forma feminina de Quinto.

Quintila - variante de Quintílio.

Quintília - variante de Quinto.

Quita - forma reduzida de Quitéria.

Quitéria - de origem germânica, com significado desconhecido.

r

Rachel - de origem hebraica, significa "cordeirinha, ovelhinha"; variante de Raquel; formas diminutivas: Era / Ray.

Rachele - **Rachelle** - formas italiana e francesa para Raquel.

Radegunda - de origem germânica, significa "conselho de guerra, guerreira incansável".

Radmila - de origem eslava, significa "ativa, diligente".

Rafaela - **Rafaella (it.)** - forma feminina de Rafael; forma reduzida: Rafa.

Rahel - forma germânica para Raquel.

Raisa - **Raíssa** - de origem grega, significa "tolerante, que suporta".

Ramira - de origem germânica, significa "guerreira famosa".

Ramona - forma feminina de Ramon.

Ranee - **Rani** - de origem hindu, significa "rainha".

Ranilda - de origem germânica, significa "a lutadora, a guerreira do conselho".

Raphaela - variante de Rafaela.

Raquel - **Rachel (ing.)** - **Rachele (it.)** - de origem hebraica, significa "ovelhina, cordeirinho".

Raulina - variante de Raul.

Raviane - **Raviana** - junção do termo francês "ravi" (maravilhado) com o nome Ana.

Rea - **Réia** - **Rhea** - de origem e significado desconhecidos, na mitologia romana foi a mãe de Remo e Rômulo; na mitologia grega, era a mãe de diversos deuses.

Rebeca - **Rebecca (ing.)** - **Rebekah (ing.)** - de origem hebraica, significa "aquela que une, aquela que seduz".

Regiana - **Regiane** - variante de Regina.

Regina - de origem latina, significa "rainha"; forma reduzida: Gina.
Reginéia - variante de Regina.
Reginella - **Reginetta** - formas diminutivas italianas para Regina.
Reine - de origem francesa, significa "rainha".
Rejane - variante de Regiana.
Relinda - **Relinde** - de origem germânica, significa "escudo do conselho".
Remina - forma feminina italiana para Remo.
Renata - de origem latina, significa "renascida".
Renée - forma francesa para Renata.
Renilda - **Renilde** - variante de Ranilda.
Renita - de origem latina, significa "resistente, persistente".
Resedá - de origem francesa, é o nome de um arbusto que possui flores de várias cores.
Reva - variante de Reeve.
Rexanne - junção dos nomes Rex com Anne; variante: Roxanne.
Rhea - **Réia** - variante de Rea / Réia.
Rhiain - de origem galesa, significa "donzela, moça".
Rhoda - de origem grega, significa "rosa"; variante de Roda.
Rhona - variante de Rona.
Rhys - de origem galesa, significa "ardor, ímpeto".
Ria - forma diminutiva germânica para Maria.
Rica - forma diminutiva para Roderica.
Ricciarda - forma feminina italiana para Ricardo.
Rina - forma diminutiva de nomes terminados em "rina": Catarina / Marina.
Rita - forma reduzida de Margherita / Margarita.
Riva - de origem latina, significa "riacho, regato" ou "margem de rio".
Roana - de origem hindu, significa "sândalo".
Roberta - forma feminina de Roberto. De origem germânica, significa "brilhante pela fama". Formas diminutivas: Rab / Robbie / Robby / Berta.
Robertina - variante de Roberta.

MENINAS

Róbin - forma diminutiva feminina de Roberto; variante: Robyn.
Robine - forma feminina francesa para Róbin.
Rochelle - de origem francesa, significa "pequena rocha".
Rode - **Ródia** - de origem grega, significa "rosa".
Roderica - forma feminina de Roderick, variante: Rodericka; forma diminutiva: Rica.
Rogelia - forma feminina espanhola de Róger.
Rohana - forma feminina de Rohan.
Roisin - **Róisin** - forma feminina irlandesa para Rose / Rosa.
Rolanda - **Rolande** - forma feminina de Rolando.
Rolandina - forma feminina diminutiva de Rolando.
Roma - de origem latina, é o nome da capital da Itália; segundo alguns, seria a palavra "amor" invertida.
Romana - de origem latina, significa "natural de Roma".
Romélia - de origem hebraica, significa "que Deus seja sublime".
Romilda - de origem germânica, significa "guerreira gloriosa".
Romilly - com origem no velho inglês, significa "larga clareira, clareira vasta".
Romy - forma diminutiva de Rosemary, tornou-se um nome famoso com a artista Romy Schneider.
Rona - forma feminina diminutiva de Ronaldo.
Ronalda - de origem germânica, significa "o que governa com mistério"; formas diminutivas: Ronnie / Ronny.
Ronilda - de origem germânica, significa "uma guerreira de mistério".
Roquélia - forma feminina de Roque; variante: Roquelina.
Rory - com origem no gaélico-irlandês e no escocês, significa "vermelho".
Rosa - de origem latina, é o nome da rainha das flores; formas diminutivas: Rosetta / Rosie / Rosinha.
Rosabela - **Rosabel** - **Rosabella** - **Rosabelle** - composições com os nomes Rosa e Bela.
Rosalba - junção do nome Rosa com o adjetivo "alva", que significa "branca" ou "a madrugada".
Rosalda - junção dos nomes Rosa com Alda.

Rosali - **Rosália** - **Rosalie** - variantes de Rosa.

Rosalice - composição com os nomes Rosa e Alice.

Rosalina - **Rosaline** - variantes de Rosa.

Rosalinda - **Rosalind** - junção dos nomes Rosa e Linda.

Rosalva - variante de Rosalba.

Rosamaria - composição dos nomes Rosa e Maria.

Rosamunda - de origem germânica, significa "proteção famosa" ou "cavalo protetor".

Rosana - **Rosanna** - **Rosanne** - composição dos nomes Rosa e Ana; variantes: Roseanne, Roseanna.

Rosane - variane de Rosana.

Rosângela - junção dos nomes Rosa e Ângela.

Rosário - de origem latina, signfica "feito com rosas", ou é a invocação a Nossa Senhora do Rosário para a reza do terço.

Rosaura - de origem latina, significa "rosa de ouro".

Roscéli - de origem latina, significa "o orvalho do céu"; variante: Roscelina.

Rose - variante de Rosa.

Roseclair - junção dos nomes Rose e Claire / Clara.

Roselana - junção de Rose com Elena.

Roselene - variante de Roselena.

Roseli - **Rosely** - variante de Rosa.

Rosélia - variante de Rosa / Rosália.

Roselle - **Rosella** - forma diminutiva de Rosa.

Rosemarie - composição dos nomes Rosa com Maria.

Rosemary - nome de uma planta e composição dos nomes Rosa com Mary; formas diminutivas: Rosie / Romy.

Rosemere - **Roseméri** - junção dos nomes Rose e Méri.

Rosemonde - forma francesa de Rosamunda.

Rosenéia - variante de Rosa / Rose.

Rosenilda - junção dos nomes Rose e Ilda.

Rosetta - **Rosette** - forma diminutiva francesa de Rosa.

Rosh - de origem hebraica, significa "cabeça".

Rosi - variante de Rosa.

MENINAS

MENINAS

Rosica - forma diminutiva de Rosa.
Rosie - forma diminutiva de Rosa / Rose / Rosemary.
Rosilaine - junção dos nomes Rosi com Elaine.
Rosiléia - variante de Rosa.
Rosiméria - junção dos nomes Rosi com Méria / Maria.
Rosina - forma diminutiva de Rosa.
Rosinda - variante de Rosa.
Rosinha - **Rosita** - forma diminutiva de Rosa.
Rosmunda - forma italiana de Rosamunda.
Rosmy - variante de Rosita.
Rossana - variante de Roxana.
Rossella - forma diminutiva de Rossana.
Rosvinda - de origem germânica, significa "fama dos vândalos".
Rotilde - de origem germânica, significa "guerreiro de fama"; variante: Rotilda.
Rovena - variante de Rowena.
Roxaba - variante de Roxana.
Roxana - **Roxane** - de origem em um idioma hindu, significa "luz, lua, claridade"; nome da mulher persa com quem Alexandre Magno se casou.
Roxy - forma reduzida de Roxana.
Rozala - de origem árabe, significa "bem de Alá, bem de Deus".
Ruana - de origem espanhola, significa "castanho-avermelhado".
Rúbia - de origem espanhola, significa "de cor dourada".
Rubi - **Rubim** - **Ruby** - de origem latina, significa "pedra vermelha preciosa"; variante: Ruby.
Runela - **Runella** - variante feminina de Ruan / Ruano.
Rute - **Rut** - **Ruth** - de origem hebraica, significa "cheia de beleza, amiga".
Ryane - forma feminina de Ryan.
Rye - de origem francesa, significa "proveniente de dique, barragem em rio".

S

Sabatina - de origem latina, significa "quem nasceu no sábado" ou próprio do sábado.

Sabin - forma reduzida de Sabina.

Sabina - **Sabine (fr.)** - de origem latina, significa "pertencene ao povo sabino (vizinhos de Roma)".

Sabra - de origem hebraica, significa "descanso, repouso total".

Sabrina - variante de Sabra.

Sacha - de origem persa, significa "a ema que volta da água"; no russo, é uma forma reduzida de Alexandra.

Sadala - de origem árabe, significa "felicidade de Deus".

Sadi - de origem árabe, pode ser "amigo" ou "natural de Saade".

Sadie - forma reduzida inglesa de Sara.

Safia - de origem árabe, significa "escolhida, sem mancha, imaculada".

Safira - de origem latina, nome de uma pedra preciosa.

Saiane - **Sayane** - **Saíde** - variante feminina de Said.

Saionara - de origem nipônica, significa "adeus, despedida".

Sal - forma diminutiva inglesa de Sally e Sarah.

Salete - **Salette** - nome oriundo da invocação a Nossa Senhora de La Salette, que é o nome pelo qual a Virgem Maria ficou conhecida após sua aparição nas montanhas de La Salette, França, no século XIX.

Sali - **Saly** - **Sallie** - **Sally** - formas diminutivas de Sara.

Salina - de origem grega, significa "vindo de um local salgado, salobro".

Salma - de origem árabe, significa "pacífica"; variante: Selma.

Salomé - **Salome (ing.)** - de origem hebraica, significa "pacífica"; variante: Saloméia.

Sálua - de origem árabe, significa "consolação, resignação".

Salústia - de origem latina, significa "salvação".

Salustiana - variante de Salústio.

Salvatora - forma feminina italiana de Salvador.

Sálvia - de origem latina, significa "salva, saudável".

Salvina - variante de Sálvio.

Sam - forma reduzida inglesa de Samanta.

Samanta - **Samantha (ing.)** - de origem aramaica, significa "ouvinte".

Samara - de origem hebraica, significa "guiada por Deus".

Samaritana - de origem latina, designa a pessoa de Samaria, região da Palestina.

Samira - forma feminina de Samir.

Samuela (it.) - de origem hebraica, significa "ouvida por Deus".

Sancia - forma feminina inglesa para Sancho; variantes: Sancha / Sanchia.

Sandie - forma reduzida de Alexandra.

Sandra - forma reduzida de Alessandra / Alexsandra.

Sandrina - forma feminina diminutiva de Alexandre.

Santa - de origem latina, significa "pura, sagrada, santificada".

Santina - forma diminutiva de Santa.

Sapphire - de origem hebraica, significa "belo, lindo"; nome de uma pedra preciosa, safira.

Sara - **Sarah** - de origem hebraica, significa "princesa"; era o nome da esposa legítima de Abraão, mãe de Isaac. Formas diminutivas: Sadie / Sal / Sally.

Sarabela - junção dos nomes Sara e Bela.

Saraide - de origem escocesa, significa "ótima, excelente".

Saralinda - junção dos nomes Sara com Linda.

Sarana - junção dos nomes Sara com Ana.

Sarita - forma diminutiva de Sara.

Saturnina - de origem latina, referente a Saturno.

Saulita - forma feminina de Saul.

Savanna - de origem espanhola, é o nome de um tipo de vegetação rala.

Savéria - forma italiana de Xavier.

Savina - variante de Sabino.

Saxa - forma reduzida russa de Alexandra.

Scarlett - de origem inglesa, significa "vermelho forte"; nome usado por Margaret Mitchell no romance E o Vento Levou.

Schirley - variante de Shírlei / Shirley.

Scheila - variante de Sheila.

Scylla - variante de Cila.

Séfora - de origem hebraica, significa "avezinha".

Sélia - variante de Célia.

Selby - com origem no velho inglês, significa "local dos salgueiros".

Selena - **Selene** - de origem grega, significa "lua".

Selina - **Selena** - de origem grega, significa "celeste, própria do céu".

Selma - de origem árabe, significa "pacífica"; forma reduzida de Anselma.

Selmina - variante de Anselma.

Selvina - variante de Sílvia.

Semele - de origem latina, significa "única, singular".

Semira - de origem hebraica, significa "à altura do céu".

Semíramis - de origem assíria, significa "pomba amorosa, amiga das pombas".

Senhorinha - nome de uso em Portugal, derivado de Senhora.

Seonaid - forma gaélica de Jane / Janete.

Serafina - **Seraphina** - variantes femininas de Serafim.

Serena - de origem latina, significa "calma, pacífica".

Serenella - variante diminutiva de Serena.

Serilda - de origem germânica, significa "armada para a batalha".

Sestina - variante diminutiva de Sesto / Sexto.

Shari - forma reduzida de Sharon.

Sharlene - variante de Sharon.

Sharon - de origem hebraica, é o nome de um rio citado na Canção do rei Salomão.

Sheena - forma inglesa de Sine.

Sheila - **Sheelagh** - **Sheilah** - **Shelagh** - forma inglesa de Sila / Célia; variantes: Sheelah / Sheelegh.

Shelley - com origem no velho inglês, significa "clareira em uma ladeira".

Sheralyn - **Sherri** - **Sherry** - **Sheryl** - variantes de Cheryl, nome baseado em Charity, que significa "caridade".

Sheree - **Sheri** - variante de Chérie.

Shirley - de origem inglesa, significa "vigilância, atenção"; forma reduzida: Shirl.

Shona - forma inglesa de Seonaid.

Sian - forma galesa de Jane.

Sibeal - forma irlandesa de Sibila / Sybyl.

Sibila - **Sibyl (ing.)** - **Sibylla (ing.)** - de origem grega, significa "profetisa, vidente". Formas variantes em inglês: Sybyl / Sybylla; forma reduzida: Sib.

Sidéria - de origem latina, significa "astros, corpos celestes".

Sidnéia - variante feminina de Sídnei.

Sidônia - **Sidonie** - **Sydony (ing.)** - de origem latina, significa "proveniente de Sidon (antiga cidade da Fenícia)".

Sigrid - **Sigrit** - com origem no velho norueguês, significa "bela e vitoriosa"; forma reduzida: Síri.

Sila - **Sulla** - **Sylla** - de origem latina, significa "amora".

Silana - variante de Silena.

Sile - forma gaélica de Célia / Cecily.

Silmara - variante de Simara.

Silvana - de origem latina, significa "deusa das selvas, própria da selva".

Silvestra - forma feminina para Silvestre.

Silvestrina - forma diminutiva de Silvestre.

Silvete - forma diminutiva de Sílvia.

Sílvia - **Silvie (fr.)** - **Sylvia (ing.)** - de origem latina, significa "próprio da selva, silvestre, referente ao mato".

Silviana - forma derivada de Sílvia.

Silvina - forma diminutiva de Sílvia.

Simara - variante de Sigmar / Silmara / Siomara.

Simona - forma inglesa para Simone; forma reduzida: Sim.

Simone - forma feminina de Simon / Simão; variante italiana: Simona.

Simonetta - **Simonete** - **Simonette** - forma diminutiva italiana de Simone / Simona.

Sindy - variante de Cíntia.

Sine - forma gaélica de Jane, por vezes, usada em inglês como Sheena.

Sinead - forma gaélico-irlandesa de Janet.

Sinésia - de origem grega, significa "unanimidade, compreensão".

Sinhana - composição dos nomes Sinhá e Ana.

Siobhan - forma gaélico-irlandesa de Jane.

Sioned - forma galesa de Janet.

Sirene - **Sirena** - de origem grega, significa "a cantora, a sedutora, a encantadora".

Síria - de origem latina, significa "proveniente da Síria".

Siriana - variante de Siro.

Sirléia - variante de Shirley.

Sisley - variante de Cecília / Cecily. Formas reduzidas: Sis / Sissie / Sissy.

Sistina - variante feminina de Sesto.

Socorro - derivado da invocação cristã católica a Nossa Senhora do Socorro, Maria do Socorro. Formas reduzidas: Sô / Socô.

Sofia - **Sofie (fr.)** - **Sophie (ing.)** - de origem grega, significa "sabedoria, sapiência".

Sóila - variante de Zóila.

Solange - de origem francesa, significa "solene, majestosa, imponente, bela"; forma diminutiva: Sola.

Soledad - **Soledade** - é uma das invocações feitas a Nossa Senhora, a solidão da Virgem Maria nos momentos da Paixão de Jesus Cristo. Forma reduzida: Sole.

Soleide - formação por meio de Sol e Eide, originando "filha do sol".

Solita - de origem espanhola, significa "sozinha, solitária, só".

Sônia - **Sonya** - de origem russa, significa "sabedoria, sapiência, ciência"; variante de Sofia.

Sophia - **Sophie** - **Sophy** - formas inglesas de Sofia.

Soraia - de origem árabe, significa "estrela da manhã, planeta Vênus".

Sorcha - de origem gaélico-irlandesa, significa "brilho".

Stacey - forma diminutiva inglesa de Eustace / Eustácia; variante de Anastácia / Anastássia.

Stacie - **Stacy** - formas diminutivas de Eustácia.

Star - **Starr** - forma inglesa de Estela / Stella.

Stásia - forma diminutiva de Anastássia.

Stefanella - **Stefania** - **Stefanina** - variantes femininas italianas para Stefano / Estêvão.

Steffi - **Steffe** - formas reduzidas de Estefani / Estefânia / Stephanie.

Stella - **Estela** - de origem latina, significa "estrela".

Stephanie - o mesmo que Estefani / Estefânia.

Sue - forma reduzida de Susana em inglês.

Suélen - **Suelene** - composição dos nomes Sue com Élen.

Sueli - **Suely** - de origem germânica, significa "luz"; variante: Soeli.

Sulimar - variante de Sulamita; forma reduzida: Suli.

Sulamita - de origem hebraica, significa "mulher de Sulam (ou Sunam)".

Suleide - **Sulide** - variantes de Soleide.

Suleika - variante de Zuleica.

Susana - **Susan (ing.)** - **Susannah (ing.)** - **Susanne (germ.)** - de origem hebraica, significa "lírio, açucena"; formas diminutivas: Sue / Sukey / Sukie / Súsie / Susy.

Sunta - variante italiana para Assunta.

Suraia - variante de Soraia / Suraya.

Súsi - forma diminutiva de Susana.

Susilei - variante de Suy.

Suyane - variação de Sue com a junção de Ane.

Suzanna - **Suzanne** - variantes de Susana.
Suzete - forma diminutiva francesa de Susana.
Suzi - forma reduzida inglesa de Susana.
Suziméri - junção dos nomes Suzi com Méri.
Sybille - forma francesa de Sibila.
Sylvia - **Sylvie** - variantes para Sílvia.

t

Tabira - de origem tupi, significa "tronco empinado".

Tabita - **Tábita** - de oriem aramaica, significa "gazela".

Taciana - de origem latina, nome derivado de Tácio.

Tadea - **Tadéia** - formas femininas de Tadeu.

Taffy - forma feminina galesa para Davi / David, com origem céltica.

Taiga - de origem russa, é o nome de um tipo de vegetação na região siberiana.

Tailã - **Tailan** - variante de Tália.

Taís - de origem grega, seu significado é incerto.

Taísa - **Taíse** - formas varianes de Taís.

Taléia - de origem grega, significa "florescente".

Tália - **Taly** - de origem grega, significa "a florescente"; era a musa da comédia.

Talita - **Talitha (ing.)** - de origem aramaica, significa "menina, donzela, solteira, solteirona".

Talula - **Tallulah** - de origem em linguagem de indígenas norte-americanos, significa "jato de água".

Tamar - de origem hebraica, significa "palmeira". Formas reduzidas em inglês: Tammie / Tammy.

Tamara - forma russa de Tamar.

Tamíris - variante de Tamara.

Tamsin - forma reduzida para o nome Tomasina.

Tânia - **Tanya** - formas russas reduzidas de Tatiana / Tatiane / Titania.

Tanira - variante de Tânia.

Tanisha - de origem incerta, significa "nascida na segunda-feira".

Tansy - de origem grega, significa "imortal"; é o nome de uma planta medicinal que possui flores amarelas.

Tara - nome americano, de origem no gaélico-irlandês, que significa "local da assembleia na rocha, rocha para a reunião".

Tate - **Táti** - **Taty** - formas reduzidas de Tatiana.

Tatiana - de origem russa, vem do termo "papai". Formas reduzidas: Tânia / Tanya.

Tea - **Téia** - **Theia** - de origem grega, significa "deusa, diva, ser divino".

Técia - **Tecla** - **Tekla** - de origem grega, significa "glória de Deus"; é a forma reduzida de Teocléia.

Telma - **Thelma (ing.)** - esse nome foi criado no século XIX por Maria Corelli, em sua novela Telma; talvez do grego, significa "desejo, vontade".

Têmis - de origem grega, significa "lei, lei divina, deusa da justiça".

Teodora - forma feminina de Teodoro; forma reduzida: Dora.

Teodósia - **Theodosia (ing.)** - forma feminina de Teodósio.

Tercília - variante de Tércio.

Teresa - **Theresa (ing.)** - **Thérèse (fr.)** - **Therese (germ.)** - **Theresia (germ.)** - de origem grega, signifca "ceifeira, caçador". Formas reduzidas: Tere / Terê / Téri / Sinha; forma diminutiva: Teresinha.

Terpsícore - de origem grega, significa "divertimento, dança"; era a musa da dança.

Terry - **Terê** - **Téri** - formas reduzidas de Teresa.

Tertuliana - **Tertulina** - variantes de Tertuliano.

Tessália - região do norte da Grécia.

Tess - **Tessa** - **Tessie** - formas diminutivas de Ester / Esther / Teresa / Theresa.

Tétis - de origem frígia, significa "tia"; era a deusa do mar.

Thalia - **Tália** - de origem grega, significa "botões que florescem".

Thea - forma reduzida de Althea / Dorothea.

Theda - forma reduzida de Theodora / Theodósia.

Thirza - **Tirsa** - **Tirsá** - de origem hebraica, significa "delícias, maravilhas"; há o conhecido escritor espanhol Tirso de Molina, criador da personagem Don Juan.

Tiaga - variante feminina de Jacó / Jaime / James.

MENINAS

Tiana - variante de Sebastiana.

Tib - **Tibbie** - formas reduzidas escocesas de Isabel / Isabella.

Tibiriçá - de origem tupi, significa "o vigilante, sentinela, chefe".

Ticiana - **Tiziana (it.)** - de origem latina, significa "venerável". Variante de Titianus, pertencente à família de Tito.

Tiffany - **Tífani** - **Tiphaine (fr.)** - de origem grega, significa "revelação" ou "manifestação de Deus".

Tilda - **Tilde** - **Tilly** - forma reduzida de Matilda / Matilde.

Timothea (ing.) - de origem grega, significa "que venera, que adora a Deus". Formas reduzidas inglesas: Tim / Timmie / Timmy.

Tina - forma reduzida de Albertina / Altina / Clementina / Cristina.

Tita - forma feminina de Tito; forma reduzida de Martita.

Titania - **Titian (ing.)** - **Titianus (lat.)** - de origem grega, era a esposa de Oberon e a rainha das fadas no folclore medieval; formas reduzidas: Tania / Tânia / Tanya.

Titina - variante de Tito.

Tomasina - variante de Tomás.

Tonia - **Tônia** - forma reduzida de Antonia / Antônia.

Tory - forma diminutiva inglesa de Victoria / Vitória.

Tosca - de origem etrusca, significa "toscana".

Tracey - **Tracy** - formas reduzidas inglesas de Teresa; variante: Terry.

Tranquila - de origem latina, significa "quieta, calma, sossegada".

Tranquilina - variante feminina de Tranquilo.

Tricia - **Trisha** - variantes de Patrícia em inglês.

Trinidad - forma espanhola para Trindade; referência religiosa a Santíssima Trindade.

Trix - **Trixie** - formas reduzidas de Beatrice em inglês.

Truda - **Trudie** - **Trudy** - formas reduzidas de Gertrudes, em inglês.

Tuane - **Tuani** - **Tuany** - formações recentes, de origem e significado incertos.

Túlia - **Tullia (it.)** - **Tully (germ./ing.)** - forma feminina de Túlio.

Tupinambá - de origem tupi, significa "descendente dos tupis".

Tusnelda - de origem germânica, significa "habilidosa e forte, guerreira dos gigantes".

u

MENINAS

Ubânia - de origem grega, significa "celestial".

Uda - de origem germânica, significa "próspera".

Ula - **Ulla** - de origem germânica, significa "proprietário por herança".

Úlfia - forma feminina de Ulfo.

Ulima - de origem árabe, significa "sábia, erudita, culta".

Ulrica - forma feminina de Ulrico.

Última - de origem latina, significa "o último, o derradeiro"; nome dado ao caçula da família.

Umbelina - de origem latina, significa "próprio do guarda-chuva, referente à sombrinha".

Una - de origem gaélico-irlandesa, significa "cordeiro"; pelo latim, nome de uma personagem criada por Edmund Spenser.

Unice - variante inglesa para Eunice.

Unity - de origem inglesa, significa "a unidade, a inteireza".

Urânia - de origem grega, significa "celestial, celeste"; era nome de uma musa grega.

Urbana - de origem latina, significa "citadino, próprio da cidade, civilizado, educado, habitante de cidade".

Urda - **Ulda** - **Hulda** - **Hurda** - de origem hebraica, significa "benigna, bondosa, benévola".

Uri - de origem hebraica, significa "luz, brilho".

Ursina - de origem latina, significa "pequeno urso".

Úrsula - de origem latina, significa "ursinha, pequena ursa".

Ursulina - forma diminutiva de Úrsula.

V

Val - forma reduzida de Valburga / Valentina / Valéria / Valquíria.

Valburga - **Valborga** - **Walburga** - de origem germânica, significa "governante protetor, proteção do chefe".

Valda - de origem germânica, significa "guia, líder, dirigente, condutor".

Valdelina - junção dos nomes Valda com Lina.

Valdete - **Valdina** - formas diminutivas de Valda.

Valdirene - variante feminina de Valdir.

Valdívia - variante de Valdevino / Valdivino.

Valência - era o nome de uma deusa adorada pelos itálicos, antes de Roma.

Valentina - **Valentine (it.)** - forma derivada de Valente; forma reduzida: Tina.

Valéria - **Valerian (ing.)** - **Valerie (fr.)** - de origem latina, significa "forte, saudável"; forma reduzida: Val.

Valeriana - variante de Valério.

Valéry - nome francês de origem germânica, significa "força estranha, força estrangeira".

Valesca - forma portuguesa de Walewska.

Valmira - de origem germânica, significa "eleita, escolhida, seleta".

Valônia - de origem latina, "própria dos vales".

Valtéria - variante de Válter.

Valquíria - **Walquíria** - de origem nórdica, significa "a virgem escolhida entre os heróis tombados". Formas reduzidas: Val / Wal.

Vanda - **Wanda** - de origem germânica, significa "peregrina, esperança".

Vanderléia - de origem germânica, significa "viajante".

Vanderlir - variante feminina de Vanderlei.

Vanessa - nome criado por Jonathan Swift para sua amiga Esther Vanhomrigh; é o nome de uma borboleta. Formas reduzidas: Essa / Nessa / Vani.

Vandete - forma diminutiva de Vanda.

Vandira - variante de Vanda.

Vanei - variante de Vânia.

Vanete - variante diminutiva de Vânia.

Vânia - dimintuivo russo de Ivana (Joana).

Vaniela - forma diminutiva de Vânia.

Vanilda - junção dos nomes Vana com Ilda.

Vanka - forma russa de Joana.

Vanna - forma italiana reduzida para Giovanna / Joana.

Vanora - variante de Jennifer.

Vanusa - variante de Vana.

Velda - de origem germânica, significa "sábia, erudita".

Venância - de origem latina, significa "caçador".

Venanzia - **Venanziana** - formas italianas para Venência.

Veneranda - de origem latina, significa "aquele que deve ser venerado".

Vera - de origem latina, significa "verdadeira, real, legítima".

Verbena - nome de uma planta cujas flores desabrocham em diversas cores.

Verena - de origem latina, significa "digna de veneração".

Veridiana - de origem latina, significa "autêntica, verdadeira".

Verity - nome de origem inglesa, significa "verdade".

Verna - forma reduzida de Laverne.

Verona - variante de Verônica.

Verônica - **Véronique (fr.)** - **Veronika (escand.)** - de origem latina, significa "imagem verdadeira, imagem autêntica". Formas reduzidas: Nica / Ronnie / Ronny.

Vesta - de origem latina, era o nome da deusa da terra na mitologia romana.

MENINAS

Vicenta (esp.) - de origem latina, significa "vencedor, vitorioso".

Vicki - **Vickie** - **Vicky** - formas reduzidas de Vitória / Victoria.

Victoria - **Victoire (fr.)** - **Vitória** - de origem latina, significa "vitória". Formas reduzidas inglesas: Tory / Vickie / Vita.

Vieri - forma reduzida italiana para Oliva.

Vilda - variante de Velda.

Vilhelmina - forma feminina sueca de Guilherme / William.

Vilma - **Velma** - forma diminutiva de Guilhermina / Vilhelmina.

Vincentia - forma italiana feminina para Vincente.

Víola - de origem latina, significa "violeta".

Violeta - **Violette (fr.)** - de origem latina, significa "a flor".

Virgínia - **Viriginie (fr./hol.)** - de origem latina, significa "virgem, donzela, pura, casta"; forma reduzida inglesa: Ginnie.

Virgolina - de origem latina, é uma forma diminutiva de virgo, do qual se origina "pequena virgem".

Viridiana - de origem latina, significa "a verdejante".

Vita - forma feminina de Vítor ou reduzida de Vitória.

Vitalina - variante de Vital.

Vitória - forma feminina de Vítor.

Vitorina - forma diminutiva de Vítor.

Vivalda - de origem germânica, significa "a que governa na guerra".

Viv - forma diminutiva inglesa para Vivien.

Vívi - **Vivi** - formas reduzidas de Viviane / Vivina.

Vívian - **Viviana** - **Viviane** - **Vyvian** - de origem latina, significa "aquele que tem vida, que está cheio de vida".

Vivien - **Vivienne** - variantes de Vívian; forma reduzida: Viv.

Vivina - de origem latina; variante de Viviana.

W

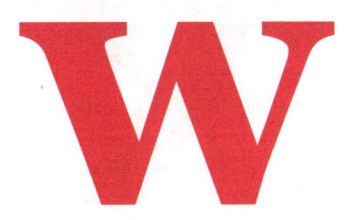

Wanda - variante de Wenda.

Wenda - **Wanda** - variantes de Wendel.

Wendy - nome criado por J. M. Barrie para a protagonista do livro Peter Pan.

Wilfrida - **Wilfreda** - variantes de Wilfrid.

Wilhelmina - **Guilhermina** - **Wilhelmine** - formas femininas de Guilherme. Diminutivos: Elma / Minna / Minnie / Wilma.

Willa - forma feminina de Will e William.

Winona - com origem na língua de uma tribo sioux americana, significa "o primeiro filho a nascer, o primogênito"; forma reduzida: Wino.

Wyn - de origem galesa, significa "branco"; variante: Wynn.

X

Xantipa - **Xanthe (ing.)** - de origem grega, significa "cavalo amarelo".

Xena - **Xene** - **Xênia** - de origem grega, significa "hospitalidade, hóspeda".

Ximene - **Chimene** - **Jimenez (esp.)** - **Ximenes** - **Ximeno** - variante de Simão; foi a amada de El Cid.

y

Yara - variante de Iara.

Yasmin - **Yasmina** - **Yasmine** - formas variantes de Jasmim / Jasmin.

Yedda - variante de Ieda.

Yolanda - **Yolande** - variante de Iolanda / Víola / Violeta.

Yole - variante de Iole / Víola / Violeta.

Yoná - variante de Ioná.

Yone - variante de Ione.

Yseult - forma francesa para Isolde.

Yvette - variante de Ivete.

Yvonne - **Ivone** - **Yvone** - variantes de Yves / Yvon.

Z

Zabrina - variante de Sabrina.

Zaida - de origem árabe, "aquela que não é ambiciosa".

Zaira - **Zair** - de origem árabe, significa "a florida, a da pele brilhante".

Zanete - forma diminutiva de Jane.

Zara - de origem árabe, significa "florida, coberta de flores".

Zaratustra - de origem irânica, significa "estrela de ouro".

Zarifa - de origem árabe, significa "graciosa, meiga".

Zefa - forma reduzida para Josefa.

Zéia - de origem latina, significa "grão, aveia".

Zélia - de origem grega, significa "zelosa, cuidadosa, possessiva".

Zelma - variante de Selma.

Zelina - forma diminutiva de Zélia.

Zelinda - de origem germânica, significa "escudo, proteção".

Zelmira - de origem árabe, significa "brilhante, fulgurante".

Zely - **Zeli** - **Zéli** - **Zelie** - variantes de Zélia.

Zena - de origem grega, significa "Zeus" ou "presente de Zeus".

Zenaide - **Zenaida** - de origem grega, significa "aquele que teme a Deus, consagrada a Zeus/Júpiter".

Zenaris - variante de Zena.

Zeni - variante italiana para Zena.

Zenice - variante de Zena.

Zenilda - composição de nomes Zena e Ilda.

Zenira - **Zenita** - variantes de Zena.

Zenóbia - de origem grega, significa "aquele que tem vida através de Zeus".

Zezé - forma popular de Josefina.

Ziglinda - **Siclenda** - **Siclinda** - de origem germânica, variantes de Zelinda.

Zilá - **Zila** - de origem hebraica, significa "nascida à noite, sombra".

Zilca - variante de Gilca.

Zilda - de origem germânica, significa "guerreira férrea, combatente de ferro".

Zinaida - forma russa para Zenaide.

Zinara - variante de Cinara.

Zinnia - nome de uma planta cujas flores são de várias cores.

Zita - **Cita** - de origem italiana, significa "menina, donzela, moça".

Zoé - **Zoe** - **Zoë** - de origem grega, significa "vida, existência".

Zóila - **Sóila** - de origem grega, significa "invejosa, faladora, murmuradora".

Zorá - de origem grega, significa "forte, potente, poderosa".

Zoraia - **Soraia** - variante de Zorá.

Zoraide - **Zoraida** - de origem árabe, significa "argola".

Zowie - variante inglesa de Zoé.

Zuleica - **Suleika** - de origem árabe, significa "rechonchuda, cheinha, gordota".

Zuleima - variante de Zulima.

Zulima - **Zulema** - de possível origem semítica, significa "pacífica".

Zulma - de origem armênica, significa "robusta, sadia".

Zulmira - de origem germânica, significa "excelente, ótima, fulgurante".

Dicionário de Nomes

MENINOS

a

MENINOS

Aarão - **Aarón (esp.)** - **Arão** - nome bíblico, era o irmão de Moisés e o fundador da casta sacerdotal hebraica; não se sabe o significado desse nome. Diminutivo: Arn.

Abacuc - **Habacuc** - nome bíblico, significa "abraço"; há uma variante síria, Hambakuku, que significa "planta de jardim".

Abaeté - do tupi-guarani, significa "homem bom, sábio, de alta consideração".

Abelardo - variante de Abel, com o sufixo germânico "hard" que significa "forte". Variante: Aberardo.

Abôndio - **Abbondio (it.)** - de origem latina, significa "abundante, copioso".

Abdala - **Abdalá** - do árabe, significa "servo de Alá".

Abdias - de origem hebraica, significa "servo de Javé".

Abdon - de origem hebraica, significa "o servozinho de Deus".

Abdul - de origem árabe, significa "servo".

Abel - **Abele** - de origem hebraica, significa "efêmero, sopro de Deus, vaidade, transitoriedade". Pelo sírio, significa "filho"; filho de Adão e Eva, morto pelo irmão Caim, por causa de ciúme.

Abelardo - **Abelard** - de origem germânica, significa "nobre, resoluto, corajoso, destemido".

Abias - de origem hebraica, significa "Javé é meu pai".

Abiatar - de origem hebraica, significa "pai da abundância, da plenitude".

Abiel - de origem hebraica, significa "pai da força, meu pai é Deus".

Abijah - de origem hebraica, significa "para quem Jeová é pai".

Abílio - do latim, significa "hábil, capaz, competente"; do grego, "aquele que é incapaz de vingança".

Abimeleque - de origem hebraica, significa "meu pai é rei".

Abisai - de origem hebraica, nome de um guerreiro.

Abner - de origem hebraica, significa "pai da luz".

Abraão - **Abraham (esp./ing.)** - **Abram (ing.)** - **Abramo (it.)** - **Abrão** - de origem hebraico-aramaica, significa "pai sublime, pai de multidões, grande pai". Foi um patriarca bíblico. Diminutivos em inglês: Abe / Bram. Variantes espanholas: Abra / Abram.

Absalão - **Absalom (ing.)** - de origem hebraica, significa "pai da paz". Filho do rei David.

Acabe - de origem hebraica, significa "tio paterno", ou seja, "irmão do pai". Foi um dos reis de Israel.

Acácio - de origem grega, significa "bom, benfeitor". Esse nome era atribuído a Hermes, deus das Comunicações.

Açad - **Assad** - de origem árabe, significa "leão".

Ace - de origem latina, significa "unidade, unido".

Acelino - variante de Acilino.

Achille - **Achillea** - **Achilleo** - formas italianas para Aquiles.

Acilino - de origem latina, significa "a bolota produzida pelo carvalho".

Acindino - de origem latina, significa "sem perigo".

Acrísio - de origem grega, significa "sem rivalidade, sem discórdia".

Adail - de origem celta, significa "lugar de carvalhos"; do árabe, "guia, aquele que mostra o caminho".

Adailton - variante de Adairton / Airton.

Adair - forma escocesa do nome Edgar.

Adairton - variante de Airton.

Adalardo - **Adalard** - **Adelardo** - de origem germânica, significa "nobre e bravo".

Adalberto - **Adalbert (ing./fr.)** - **Aubert (fr.)** - **Audibert (fr.)** - de origem germânica, tem o significado de "brilho da nobreza".

Adalgiso - de origem teutônica, significa "lança nobre".

Adalmiro - de origem teutônica, significa "coberto de nobreza".

Adalto - **Adalton** - de origem latina, significa "para o alto".

Adalvino - de origem germânica, significa "amigo da nobreza".

Adam (ing.) - de origem hebraica, significa "homem, homem da terra"; é uma personagem bíblica.

Adamâncio - de origem latina, significa "diamantífero, com a consistência do diamante".

Adamantino - de origem grega, significa "precioso, muito estimável, puro".

Adamastor - de origem grega, significa "indômito, invencível"; personagem de Luís Vaz de Camões.

Adamir - de origem germânica, significa "brilhante, famoso".

Adão - **Adam** - **Adamo (it.)** - **Adán (esp.)** - de origem hebraica, significa "homem, homem de terra vermelha", personagem bíblica.

Adauto - de origem latina, significa "aumento, acréscimo".

Adelar - variante de Adelardo.

Adelardo - de origem teutônica, significa "forte com a nobreza".

Adelberto - variante de Adalberto.

Adelfo - de origem grega, significa "irmão, fraterno".

Adelino - **Adeline (fr./ing.)** - de origem germânica, significa "amigo da nobreza".

Adelindo - de origem germânica, significa "serpente nobre".

Adelmar - de origem germânica, significa "famosa nobreza". Variante: Elmar.

Adelmiro - variante de Adalmiro.

Adelmo - variante de Adelmar.

Adélson - de origem árabe, significa "justo". Variante: Adílson.

Ademar - de origem teutônica, significa "guerreiro glorioso".

Ademaro - de origem germânica, significa "guerreiro glorioso".

Adeodato - **Dieudonné (fr.)** - de origem latina, significa "dado por Deus". Variantes: Deodato / Donato.

Aderbal - de origem fenícia, significa "aquele que adora, que cultua o deus Baal".

Aderico - de origem germânica, significa "príncipe batalhador".

Adib - de origem árabe, significa "educado, instruído, culto".

Adiel - de origem hebraica, significa "adorno divino, enfeite divino".

Adílio - variante de Adélio.

Adin - nome masculino de origem hebraica, significa "sensual".

Adinolfo - variante italiana de Adolfo.

Adir - de origem fenícia, significa "ilustre, notável".

Adlai - de origem hebraica, significa "Deus é justo, meu testemunho de Deus".

Adler - de origem germânica, significa "águia, perspicaz, vivo".

Adney - nome masculino com origem no velho inglês; significa "ilhéu, habitante de uma ilha".

Ado - de origem germânica, significa "ancião, notável, velho sábio".

Adolar - de origem hebraica, significa "guerreiro nobre".

Adolfo - **Adolf (germ.)** - **Adolph (ing.)** - **Adolphus** - de origem germânica, significa "nobre, lobo herói". Diminutivos: Dolf / Dolfinho / Dolph. Variantes: Adolpho / Ataulfo.

Adonai - **Adon** - de origem hebraica, significa "Senhor Deus, nome para invocar Deus".

Adonias - **Adonia** - de origem grega, significa "a beleza da ressurreição, meu Senhor é Javé".

Adonirã - **Adoniram** - **Adonirão** - de origem hebraica, significa "meu Senhor é supremo, Altíssimo".

Adônis - de origem grega, significa "Senhor".

Adrian - **Ádrian** - forma inglesa de Adriano.

Adriano - **Adrian (ing.)** - **Adrien (fr.)** - de origem latina, significa "moreno, escuro"; para outros, seria originário de Ádria, de onde vem o nome do Mar Adriático; ainda, há os que defendem a origem de Adar, deus do fogo. Variantes: Hadrian (ing.) / Hadriânus (forma alatinada).

Adroaldo - de origem teutônica, significa "quem governa com nobreza".

Aduílio - variante de Duílio.

Adulfo - variante de Ataulfo.

Aeneas - de origem grega, significa "louvar, enaltecer". Variante: Eneas.

Aécio - de origem latina e grega, significa "águia".

Aelfric - variante italiana de Alberico.

Aélson - variante de Aílson.

Aeneas - variante de Enéias.

Aeron - **Aeronwen** - de origem galesa, significa "fruta, bago frutífero".

Afif - de origem árabe, significa "casto, puro, honesto".

Afonso - forma portuguesa de Alfonso. Variante: Adelfonso.

Afrânio - de origem latina, significa "africano".

Afro - variante de Aphra; de origem latina, significa "africano".

Africano - variante de Afro.

Agamémnon - **Agamenão** - **Agaménon** - de origem grega, significa "muita reflexão, cuidados exagerados".

Agapito - de origem grega, significa "amável, estimado, querido".

Agenor - de origem grega, significa "aquele que é viril, másculo, varonil".

Ageu - de origem hebraica, significa "festivo, contente, alegre".

Agilberto - de origem germânica, significa "espada que brilha".

Agildo - de origem teutônica, significa "oferenda" ou "presente dos deuses". Variante: Agílio.

Agnelo - da forma latina Agnellus, "cordeirinho", diminutivo de "agnus" (cordeiro), referente a Jesus, "o cordeiro de Deus"; "quem morre em prol dos outros".

Agobar - de origem grega, pode significar "lutador".

Agostinho - **Agostino (it.)** - **Agustin (esp.)** - **Augustine (ing.)** - forma diminutiva de Augusto; nome propagado a partir de Santo Agostinho de Hipona.

Agrícola - de origem latina, significa "agricultor".

Agripino - de origem latina, significa "que nasceu pelos pés, de parto difícil"; derivado de Agripa.

Aguiberto - de origem germânica, significa "quem governa com a espada".

Aguinaldo - de origem teutônica, significa "quem governa com a espada".

Agustin - forma espanhola de Agostinho, derivada de Augusto.

Aiça - de origem árabe, significa "Jesus". Variante: Aissa.

Aidan - de origem gaélica, significa "chama, fogo". Variantes: Aiden / Edan / Ethne / Hayden / Haydon.

Aidil - **Eidil** - de origem teutônica, significa "nobre, cavalheiro"; do árabe, "justiceiro".

Ailean - de origem escocesa, significa "Alan".

Aílson - anagrama de Alíson, variante do nome Alison.

Aimberê - de origem tupi-guarani, significa "lagartixa".

Aimone - de origem germânica, significa "pátria, santo da Igreja"; nome de vários príncipes da era carolíngia. Variante: Áimo.

Aimoré - do tupi, significa "o mordedor, quem morde".

Airaldo - variante de Aroldo / Haroldo.

Airton - nome trazido por Júlio Verne.

Ajax - de origem grega, significa "quem geme, quem se lamenta"; herói grego.

Ajuricaba - do tupi-guarani, nome de uma abelha muito feroz e de um cacique.

Al - ver Albert / Alberto / Alexandre. Diminutivo de Alan / Albert.

Alan (ing.) - **Alain (fr.)** - de origem incerta. Derivando do gaélico, significa "harmônico". Variantes: Alã / Allan / Allen.

Alair - variante de Lair.

Alano - **Alan** - de origem indo-europeia, significa "harmonia".

Alaor - de origem latina, significa "alegre, jovial, faceiro".

Alarico - **Alaric (ing.)** - de origem germânica, significa "senhor de tudo, dono de tudo".

Albano - **Alban (ing.)** - **Albanus (lat.)** - de origem latina, significa "da cidade de Alba" ou "branco, puro".

Alberi - **Albery** - variante de Alberico.

Alberico - **Alberic (ing.)** - **Alberich (germ.)** - do alemão, significa "senhor dos elfos". Variantes: Alverigo / Aubry (fr.).

Albertim - **Albertin** - **Albertino (it.)** - derivado de Alberto. Variante: Albertino.

Alberto - **Alberice (it.)** - **Albert (ing.)** - **Albrecht (germ.)** - variante de Adalberto, significa "brilhante pela fidalguia". Diminutivos no inglês: Al / Bert / Bertie.

Albino - **Albin (ing.)** - **Álbio** - **Albo** - de origem latina, significa "branco, esbranquiçado". Variante: Aubine (fr.).

Albion - de origem latina, significa "branco, alvo, claro"; nome através do qual se designa a Inglaterra.

Alboim - forma derivada de Alboíno.

Alboíno - de origem germânica, significa "amigo dos elfos". Variantes: Albino / Alboim / Albwin.

Alcebíades - de origem grega, significa "violento, generoso"; foi famoso discípulo de Sócrates.

Alceste - de origem grega, significa "força, poder, resistência".

Alcedino - variante de Alceu.

Alceu - de origem grega, significa "poder, força". Variantes: Alceste / Alcides.

Alcides - de origem grega, significa "força, poder". Variantes: Alceu / Alcídio.

Alcido - variante comum de Alcides.

Alcino - de origem grega, significa "o que é forte, de mente forte".

Alcindo - variante de Alcino.

Alderano - **Alderino** - **Aldério** - **Aldino** - variantes italianas para Aldo.

Alderico - **Alderik (germ.)** - de origem germânica, significa "nobre senhor" ou "maduro, ancião".

Aldir - variante de Álder, significa "velha árvore" no velho inglês. Variante: Alderino.

Aldo - variante masculina de Alda. Forma italiana: Alduccio.

Aldoir - variante de Aldo.

Aldomiro - de origem germânica, significa "ancião ilustre, velho maduro e sábio".

Aldous - **Aldo** - de origem germânica, significa "velho e sábio".

Aldwin - **Alvin** - do velho idioma saxônico, significa "o que vence tudo".

Aleandro - variante de Leandro.

Aleardo - de origem germânica, significa "estrangeiro, o que tem força".

Alec - **Aleck** - forma inglesa para diminutivo de Alexandre.

Alécio - de origem latina, significa "o que defende, o que protege"; variante de Aleixo.

Aleixo - **Alejo (esp.)** - **Alessio (it.)** - **Alexis (ing.)** - do latim como Alexius e do grego como Aléxios, significa "que defende, que protege"; há quem defenda a origem desse nome em Aléxandros.

Alejandro - forma espanhola para Alexandre e derivados.

Alejo - Alex - Alexis - forma espanhola para Aleixo.

Alessandro - variante italiana do nome Alexandre.

Alessio - Alessi - Alésio - variantes italianas de Aleixo.

Alex - Aléxis - Aléxius - formas diminutivas de Alexandre.

Alexandre - de origem grega, significa "que resiste aos homens, que se defende dos homens, protetor do gênero humano". Variante diminutiva: Alix. Formas diminutivas em inglês: Alec / Aleck / Alex / Alick / Lex / Sander / Sandy.

Alexandrino - diminutivo de Alexandre.

Alexsandro - variante de Alexandre.

Alf - Alfie - formas diminutivas, em inglês, de Alfred.

Alfeu - Alfeo - Alpheus (ing.) - de origem grega, significa "alvo, branco, claro, albo".

Álfio - Alfino - de origem italiana, significa "alvo, albo, branco".

Alfonso - Alfonsine (ing.) - Alphons e Alphonse (germ.) - de origem germânica, significa "guerreiro pronto para o combate, inclinado para o combate". Variantes: Afonso / Alonso.

Alfredo (fr./germ./ing.) - Alfredino - Alfride - Alfrido - de origem germânica, significa "governante pacífico, aconselhado pelos elfos, bom e sábio conselheiro". Diminutivos em inglês: Alf / Alfie. Diminutivos em português: Alfredinho / Fredo. Variante: Alfredino.

Alger - de origem no antigo saxônico, significa "lança de elfo".

Ali - Áli - de origem árabe, significa "alto, sublime".

Aliatan - Aliatã - de origem grega, é o nome de uma ave marinha.

Alício - variante masculina de Alícia.

Alidor - de origem germânica, seu significado é desconhecido.

Alienor - variante masculina de Eleonora.

Alinor - variante masculina de Eleonor / Elinor que, por sua vez, são todas variantes de Helena.

Aliomar - variante de Heliomar.

Alípio - de origem grega, significa "sem pensar, sem tristezas, paz espiritual".

Alírio - de origem latina, forma popular de Lírio.

Alison - Álison - Állison - de origem germânica, significa "famoso"; variante de Alisson; formas diminutivas: Al / Allie.

Alister - forma gaélica de Alexandre, com variantes tais como Alasdair e Alastair.

Alix - variante de Alex.

Allan - **Allen** - variantes de Alan.

Alistair - forma gaélica de Alexandre.

Almerico - **Almerigo** - variantes italianas de Arrigo / Enrico.

Almerindo - variante de Almério.

Almério - de origem germânica, significa "príncipe rico e trabalhador".

Almino - variante de Almo.

Almir - de origem germânica, significa "de estirpe nobre".

Almiro - de origem celta, significa "delicadeza".

Almo - de origem no velho inglês, significa "nobre e famoso". De origem latina, significa "que cria, que nutre".

Alois - **Aloys** - formas reduzidas de Aloísio.

Aloísio - **Aluísio** - forma latina de Luís.

Alonso - **Alonzo** - variante de Alfonso; forma diminutiva em inglês: Lonnie.

Alroy - nome inglês de origem gaélica, significa "cabelo vermelho, ruivo".

Altair - de origem árabe, significa "estrela cadente, estrela que voa".

Altamiro - de origem germânica, significa "antigo e sabido"; forma variante de Adelmar.

Altino - de origem latina, significa "de estatura anormal, enorme".

Altivo - de origem lusa, significa "elevado, valente, orgulhoso".

Altman - de origem germânica, significa "ancião sábio".

Aluíno - de origem germânica, seu significado é desconhecido.

Aluísio - variante de Aloísio.

Alula - de origem latina, significa "alado, com uma asa".

Álvaro - de origem germânica, significa "muito atento". Variantes: Álvares / Alvarino / Alvário / Alves.

Alvin - **Alvim** - **Alwin (ing.)** - de origem no velho inglês, significa "totalmente vencedor".

Alvino - de origem germânica, significa "amigo nobre".

Amã - de origem persa, significa "grande".

Amaddio - **Amadeo** - variantes italianas para Amadeu.

Amadeu - **Amadeo (esp.)** - **Amadeus** - de origem latina, significa "quem ama a Deus".

Amadis - de origem provençal, "que ama a Deus". Amadis de Gaula é um conhecido romance de cavalaria.

Amado - **Amato (it.)** - **Aimé (fr.)** - de origem latina, "que recebe amor".

Amador - de origem latina, significa "aquele que ama, amante".

Amâncio - de origem latina, significa "aquele que ama, que está em estado de amor".

Amândio - de origem latina, forma derivada de Amando.

Amando - de origem latina, "aquele que deve ser amado, digno de ser amado".

Amantino - forma diminutiva de Amando.

Amaranto - de origem grega, "que não perde a cor, que não desmerece".

Amarino - de origem latina, significa "levemente amargo".

Amaro - de origem latina, significa "amargo". Variante: Ademaro.

Amato - de origem latina, significa "o amado".

Amauri - **Amaury** - de origem francesa, significa "homem valente e trabalhador"; variante de Amalarico.

Amasa - de origem hebraica, significa "carregador, opressor".

Ambert - **Amberto** - de origem germânica, significa "luta brilhante"; variante de Lamberto.

Ambrogio - **Ambros** - **Ambrose** - formas italianas para Ambrósio.

Ambrosino - formas diminutivas para Ambrósio.

Ambrósio - **Ambrogio (it.)** - **Ambroise (fr.)** - **Ambrose (ing.)** - de origem grega, significa "imortal".

Américo - **Amerigo (it.)** - de origem germânica, significa "príncipe trabalhador". Diminutivos: Mérico / Merico.

Amerigo - **Arrigo** - **Enrico** - de origem germânica, derivado do nome Haimirich. Variante italiana do nome Henrique. Significa "senhor potente e rico de minha casa".

Amério - de origem germânica, significa "capataz, chefe de um trabalho".

Amery - forma variante de Amory.

Amiel - de origem hebraica, significa "meu povo é de Deus".

Amílcar - de origem cartaginesa, significa "favor de Hércules".

Amílton - forma variante de Hammilton (ing.).

Amin - **Amim** - de origem árabe, significa "fiel"; a mãe de Maomé tinha o nome Amina.

Amintas - de origem grega, significa "protetor, defensor".

Amintore - **Aminda** - **Aminter** - variantes italianas de Aminta.

Amir - variante de Emir; de origem árabe, significa "príncipe".

Amon - **Ammon** - de origem hebraica, significa "povo, filho do meu povo".

Amoroso - de origem latina, significa "cheio de amor".

Amory - de origem germânica, significa "governante famoso". Variantes: Amery / Emery / Emmery.

Amós - de origem hebraica, significa "o forte, o gigante".

Anacleto - de origem grega, significa "chamado, eleito".

Anacreonte - de origem grega, significa "dominador"; houve um grande poeta grego com esse nome.

Anael - de origem grega, significa "o anjo que vela pelas salamandras".

Ananias - de origem hebraica, significa "graça de Javé".

Anastácio - **Anastasie** - **Anastasio (it.)** - de origem grega, significa "aquele que renasce, ressuscitado".

Anatólio - **Anatole (fr.)** - de origem grega, significa "oriente, aurora".

Anaxágoras - de origem grega, significa "líder do grupo, dirigente de reunião".

Anderson - de origem inglesa, significa "filho de André".

Andie - **Andi** - forma diminutiva inglesa de Andrew.

Andino - referente aos Andes.

André - **Andras** - **Andrea (it.)** - **Andreas (it.)** - **Andrei (rus.)** - **Andrés (esp.)** - **Andrew (ing.)** - de origem grega, significa "homem, masculino, senhor". Diminutivos ingleses: Andra / Andro / Andie / Andy / Dand / Dandie / Dandy / Drew / Endre (húng.).

Andrônico - de origem grega, significa "homem vitorioso".

Anésio - de origem grega, significa "que está repousando, descansando".

Angélico - de origem grega, significa "puro, igual a um anjo".

Angelino - forma diminutiva de Ângelo.

Ângelo - **Ángel (esp.)** - de origem grega, significa "mensageiro, quem traz notícias".

Angiolino - **Angiolo** - variantes italianas de Ângelo.

Anhangüera - **Anhangoera** - de origem tupi, significa "espectro, fantasma, diabo, velhaco".

Aníbal - de origem fenícia e cartaginesa, significa "graça de Baal, presente de Baal".

Aniceto - de origem grega, significa "invencível".

Anísio - de origem grega, significa "perfeito, total".

Anquises - de origem mitológica, surge na Ilíada de Homero.

Anselmo - **Ansel (ing.)** - **Anselm (ing.)** - de origem germânica, significa "aquele a quem os deuses dão a proteção, o elmo".

Antão - **Antwan (ing.)** - variante de Antônio. Através do germânico arcaico, nome de um eremita.

Antenor - de origem grega, significa "homem da vanguarda, homem de frente".

Antero - de origem grega, significa "florescente, florido, cheio de flores".

Anteu - de origem grega, significa "que está na frente, na vanguarda"; nome de um gigante.

Antídio - de origem grega, significa "que está diante de Deus, ante Deus".

Antíoco - de origem grega, significa "que é contra veículos, inimigo de veículos".

Antonello - variante italiana para Antônio.

Antoniano - forma variante de Antônio.

Antônio - **Anthony (ing.)** - **Antocha (rus.)** - **Antoine (fr.)** - **Anton (germ.)** - **Antonius** - **Antony (ing.)** - **Anty (ing.)** - **Tony (ing.)** - de origem controversa, se derivado do latim, significa "inestimável, louvável, admirável". Formas diminutivas: Tonho / Totonho / Toni / Tonico / Tinoco; do inglês: Ton / Toni / Tony; do italiano: Nino / Toni / Tonino / Tonio / Tòto / Totó.

Anyon - de origem gaélica, significa "bigorna".

Aparecido - forma masculina de Aparecida.

Aparício - de origem latina, significa "aparição, aparecimento", com referência aos reis magos.

Apeles - de origem no nome Apolo, foi um grande pintor grego.

Apolinário - de origem latina, significa "consagrado a Apolo".

Apolino - variante de Apolo.

Apolo - de origem grega, deus do dia, da procriação, significa "anunciador, profeta".

Apolônio - de origem grega, significa "consagrado a Apolo".

Aprígio - de origem latina, significa "caçador de javalis".

Áquila - de origem latina, significa "águia".

Aquiles - Achille (it.) - de origem grega, a interpretação do significado é controversa, mas pode significar "divindade fluvial"; "sem os lábios"; "lobo terrível" ou, ainda, "escuridão".

Aquilino - de origem latina, significa "próprio da águia".

Araldo - Haraldo - variantes de Haroldo.

Araminta - de origem grega, significa "belo, doce como néctar de flor".

Aramis - nome de um dos Três Mosqueteiros, no romance escrito por Alexandre Dumas.

Arão - Haharon - ver Aarão.

Araquém - de origem tupi, significa "pássaro adormecido".

Arari - de origem tupi, significa "arara vermelha, canindé".

Araribóia - de origem tupi, significa "cobra do rio das araras, cobra roncadeira".

Arcádio - de origem latina, significa "Terra dos Árcades" ou "homem-urso".

Arcanjo - Arcângelo - tipo de anjo, das hierarquias superiores.

Arce - sobrenome espanhol, nome de uma árvore.

Arcísio - Arciso - variantes italianas de Adalgisa.

Ardley - com origem no velho inglês, significa "do prado doméstico, do sítio".

Ardovino - variante de Arduíno.

Arduíno - Ardoíno - Ardolino - Arduílio - Arduo - de origem germânica, significa "amigo certo, ousado, valente".

Arealdo - variante de Aroldo / Haroldo.

Arécio - de origem italiana, próprio da cidade de Arezzo.

Aretino - de origem grega, significa "capacidade, aptidão".

Argenta - de origem latina, significa "pratas, tudo que é de prata".

Argemiro - Argimiro - de origem germânica, significa "combatente ilustre, guerreiro famoso, célebre".

Argentino - de origem latina, significa "de prata, feito de prata, próprio da prata". Entre os romanos, era o deus das moedas de prata, conforme a mitologia.

Argeu - de origem grega, significa "radiante, brilhante, luminoso".

Argia - de origem grega, proveniente da cidade de Argos. Variantes: Algia / Arge / Argea / Argeo / Argio.

Argos - de origem grega, significa "brilhante, luzente, radiante".

Ari - no hebraico, significa "leão"; no tupi, "cacho de brejaúvas".

Arialdo - variante de Ariovaldo.

Ariano - descendente do povo ariano, tipo de cor totalmente pura e branca.

Ariberto - de origem germânica, significa "exército valoroso". Variante de Eriberto / Heriberto.

Aric - de origem no antigo inglês, significa "dirigente sagrado". Formas diminutivas: Rick / Rickie / Ricky.

Ariel - de origem hebraica, significa "leão de Javé"; no semítico, "fogo de Deus"; nome de anjo.

Arildo - variante de Haroldo.

Arilson - de origem inglesa, significa "filho de Ari".

Arion - de origem grega, significa "muito enérgico".

Ariosto - variante de Ariovisto, de derivação céltica.

Ariovaldo - de origem germânica, significa "quem governa os senhores, os nobres".

Ariovisto - de origem celta, significa "fidalgo".

Aristarco - de origem grega, significa "soberano, chefe especial".

Aristeu - de origem grega, significa "ótimo, o melhor".

Aristides - Aristide (it.) - de origem grega, significa "brilhante pelos antepassados".

Aristo - de origem grega, significa "o melhor".

Arístocles - de origem grega, significa "de fama nobre, distinto".

Aristodemo - de origem grega, significa "o melhor do povo".

Aristófanes - de origem grega, significa "brilhante"; foi o nome de um grande comediógrafo grego.

Aríston - de origem grega, significa "o melhor".

Aristóteles - de origem grega, significa "a melhor conclusão, o melhor fim".

Arlen - de origem gaélica, significa "garantia, penhor, presente".

Arlindo - de origem germânica, significa "escudo da águia, poderoso".

Armando - **Armand (ing.)** - forma francesa de Herman.

Armandino - **Armano** - de origem germânica, significa "o homem do exército, pessoa de armas".

Armel - de origem gaélica, significa "chefe".

Armin - de origem germânica, significa "homem de armas, homem militar".

Armido - **Armídio** - formas masculinas de Armida.

Armindo - de origem germânica, significa "homem de guerra".

Armínio - de origem germânica, significa "poderoso, potente".

Arnaldo - **Arnaud (fr.)** - **Arnaut (fr.)** - **Arnold** - **Arnoldo** - **Arnulf (ing.)** - de origem germânica, significa "quem governa como uma águia". Diminutivo: Arnau. Variantes diminutivas em inglês: Arn / Arnie / Arno / Arny.

Arno - forma diminutiva de Arnoldo / Arnulfo.

Arnon - de origem hebraica, significa "rio que desemboca no mar Morto".

Aroldo - **Haroldo** - de origem germânica, significa "comandante do exército".

Arquelau - de origem grega, significa "governador do povo".

Arquibaldo - **Archibald (ing.)** - **Archibaldo (it.)** - de origem germânica, significa "valente, puro, genuíno, nobre". Formas diminutivas em inglês: Archie / Archy.

Arquimedes - de origem grega, significa "chefe eminente, pensador".

Arrigo - **Arrighetto** - **Enrico** - formas italianas de Henrique.

Arsênio - de origem grega, significa "forte, valente, vigoroso".

Arsilio - variante italiana de Ersílio.

Artêmios - **Artemas (ing.)** - variante masculina de Ártemis.

Artur - **Arthur (ing.)** - **Arturo (it.)** - de origem celta, significa "nobre, generoso, grande urso". Forma diminutiva inglesa: Art.

Arvin - de origem germânica, significa "amigo do povo, amigo das pessoas".

Arwel - de origem galesa, significa "proeminente, notável".

Asael - **Asahel** - de origem hebraica, significa "Javé fez, feito por Deus".

Asariel - de origem hebraica, significa "Deus luta".

Ascânio - de origem grega, significa "procedente da Ascânia (região da Bitínia, na Ásia Menor)".

Ascendino - de origem latina, significa "o que sobe, o que vai para o alto".

Asdrúbal - de origem cartaginesa, significa "auxiliador de Baal (deus venerado pelos antigos povos cartagineses e fenícios)".

Aser - **Asher** - de origem hebraica, significa "tesouro, feliz, sortudo".

Ashur - de origem semítica, significa "guerreiro, bélico".

Aspério - **Espério** - **Hespério** - de origem grega, pode significar "o Ocidente" ou é uma referência ao planeta Vênus quando visto pela manhã.

Assad - **Açad** - **Assaad** - de origem árabe, significa "mais feliz".

Assis - nome de uma cidade medieval italiana, conhecida por ser o berço de São Francisco.

Assuero - de origem hebraica, é equivalente ao nome persa Xerxes (rei persa, filho de Dario).

Aster - de origem grega, significa "astro, corpo celeste".

Astério - de origem grega, significa "das estrelas, dos astros; brilhante como um astro".

Astolfo - de origem germânica, significa "quem luta como um lobo".

Astrogildo - de origem germânica, significa "brilhante, digno, valioso".

Ataliba - variante de Atabaliba / Atahualpa.

Atanagildo - de origem germânica, significa "valor, pai de valor".

Atanásio - de origem grega, significa "o imortal, o eterno".

Ataulfo - de origem germânica, significa "nobre como o lobo".

Ateneu - de origem grega, nome de um grande escritor helênico.

Átila - de origem gótica, significa "paizinho"; nome do rei dos hunos, grande povo da Ásia Central.

Atílio - Attilio (it.) - Attilius (lat.) - de origem latina, significa "quem tem os pés tortos" ou "paizinho".

Atlas - Atlante - de origem grega, significa "o que suporta, aguenta, carrega os céus".

Atlee - Atley - de origem no velho inglês, significa "na floresta".

Atos - Athos - de origem grega, significa "o que vive incólume, livre, liberto".

Auberon - de origem germânica, significa "urso nobre". Variantes: Bron / Oberon.

Aubin - variante de Albano.

Aubrey - de origem germânica, significa "dirigente de espíritos".

Aude - Audísio - variantes de Aldo.

Audrino - de origem no velho inglês, significa "poder nobre".

Augusto - Auguste (fr.) - Augustus (lat.) - de origem latina, significa "majestoso, sublime, consagrado, excelso". Variantes: Augustine / Augustino / Guto; no inglês: Gus / Gussie.

Áureo - forma masculina de Áurea.

Aureliano - Aurelindo - formas variantes de Aurélio.

Aurélio - Aurelie - Aurélien (fr.) - Aurélienne (fr.) - de origem latina, significa "de ouro, dourado, brilhante".

Aury (fr.) - forma francesa antiga de Alarico.

Austin - variante inglesa de Augusto e Agostinho, surgindo, daí, Augustine.

Austragésilo - de origem germânica, significa "ilustre refém".

Avelino - de origem latina, significa "natural de Avelinos (localidade italiana)".

Avice - Avis - de origem latina, possivelmente nome de um pássaro.

Avicena - de origem árabe, significa "filho de Cina".

Avídio - de origem latina, significa "cobiçoso, insaciável".

Áxel - de origem germânica, significa "pai da paz".

MENINOS

Azael - Hazael - de origem hebraica, significa "Deus é testemunha".
Azarias - de origem hebraica, significa "Deus ajudou".
Azis - de origem árabe, significa "caro, estimado, amado".

Bábila - de origem latina, significa "o pequeno babilônio".

Baco - deus do vinho entre os romanos, na Grécia, era denominado Dionísio.

Bádui - de origem árabe, significa "homem do deserto, beduíno".

Baependi - de origem tupi, significa "o que queres?".

Balbino - forma diminutiva de Balbo.

Balbo - de origem latina, significa "gago, balbuciante, aquele que gagueja, que balbucia".

Baldemar - de origem germânica, significa "corajoso e famoso príncipe".

Bálder - de origem escandinava, era o filho de Odino e Frigia, personagens da mitologia da região.

Baldomero - de origem germânica, significa "ilustre audaz".

Baldovino - **Baldoíno** - **Baldovin (it.)** - **Balduccio (it.)** - **Baldwin (ing.)** - variante de Balduíno.

Balduíno - **Baldric (ing.)** - de origem germânica, significa "corajoso amigo".

Baltasar - **Baltazar** - **Balthasar (ing.)** - **Balthazar (ing.)** - de origem babilônica, significa "Baal defende o rei".

Baptist - **Baptiste** - **Battista** - variantes de Batista.

Barac - nome de uso comum em Israel.

Barbarino - **Bárbaro** - variantes masculinas de Bárbara.

Barnabé - **Barnaba (it.)** - **Barnaby (ing.)** - de origem hebraica, significa "filho da exaltação, filho da consolação".

Barnard - variante inglesa de Bernard / Bernardo. Forma diminutiva: Barney.

Barrabás - de origem hebraica, significa "filho do pai".

MENINOS

Barry - de origem gaélica, significa "lança".

Barsabé - nome de uma pessoa santificada pela Igreja Católica.

Bart - forma inglesa diminutiva de Bartolomeu.

Barthold - forma variante em inglês de Bertoldo.

Bartimeu - de origem aramaica, significa "filho de Timeu".

Bártolo - forma italiana e espanhola de Bartolomeu.

Bartolomeu - **Bartholomew (ing.)** - **Bartolomeo (it.)** - de origem hebraica, significa "filho dos sulcos". Diminutivos ingleses: Bart / Bat.

Bartram - variante inglesa de Bertram.

Baruc - **Baruch (ing.)** - **Baruque** - de origem hebraica, significa "abençoado, bento".

Basileu - **Basílio** - **Basil (ing.)** - **Basile (fr.)** - de origem grega, significa "rei, rainha, real". Variantes: Basilea / Basileo.

Basiliano - de origem grega, significa "todo realeza".

Basilindo - variante de Basiliano / Basílio.

Basílio - **Basil (ing.)** - **Basile (fr.)** - de origem grega, significa "rei, soberano". Variante: Basilea / Basileo / Basilino.

Bastião - **Bastian (ing.)** - **Bastiano (it.)** - **Bastien (ing.)** - formas reduzidas de Sebastião.

Batista - **Baptist (ing.)** - **Batiste (fr.)** - **Battista (it.)** - de origem grega, significa "aquele que batiza". Variante: Batistino.

Baudouin - **Baudoin** - variantes de Balduíno.

Beaman - de origem no velho inglês, significa "dono de abelhas, guarda de abelhas".

Beato - de origem latina, significa "abençoado, beatificado, santo".

Bebiano - forma masculina variante de Viviana.

Beda - com origem no velho inglês, significa "comandante da guerra".

Belami - de origem gálica, significa "belo amigo".

Belarmino - de origem italiana, significa "belo Armínio"; do germânico, significa "belo arminho".

Belchior - variante de Melchior.

Belino - de origem italiana, é o diminutivo de "belo".

Belisário - de origem grega, significa "arremessador de dardo, guerreiro".

Belmiro - de origem germânica, significa "atrevido"; do árabe, "filho de príncipe".

Belo - **Bello (it.)** - de origem latina, significa "bonito, formoso".

Beltran - **Bertran** - de origem germânica, significa "corvo brilhante", ou seja, simboliza Odin, símbolo da inteligência.

Ben - forma diminutiva inglesa de Benedict / Benjamin; do árabe, significa "filho".

Ben-Hur - de origem árabe, significa "filho de Hur".

Benedito - **Benedetto (it.)** - **Benedick (ing.)** - **Benedict (ing.)** - **Benedikt (germ.)** - **Benoît (fr.)** - de origem latina, significa "abençoado, bento". Diminutivos ingleses: Ben / Bennie / Benny.

Benício - de origem latina, significa "o que vai bem".

Benigno - de origem latina, significa "aquele que é bondoso, caridoso, indulgente".

Benito - **Benedetto** - de origem latina, passando pelo italiano, significa "bento, abençoado".

Benjamim - **Beniamino (it.)** - **Benjamin (esp.)** - **Benjamins** - de origem hebraica, significa "filho da mão direita, filho dileto". Diminutivos ingleses: Bem / Benjie / Bennie / Benny; diminutivo espanhol: Ben.

Bennato - de origem italiana, significa "bem nascido".

Bennet - variante inglesa de Benedito.

Beno - forma diminutiva de Bernardo.

Benôni - de origem hebraica, significa "filho da minha dor".

Bento - de origem latina, significa "abençoado, louvado".

Benvenuto - forma italiana para Benvindo.

Benvindo - de origem italiana, significa "bem recebido".

Beppa - **Beppe** - **Beppi** - **Beppo** - formas diminutivas de Giuseppe (José, em português).

Beraldo - de origem germânica, significa "o que governa como um urso".

Berardo - **Berhard** - variantes de Bernardo.

Berilo - **Beryl (ing.)** - de origem grega, significa "a joia verde do mar".

Bermudo - de origem germânica, significa "proteção do urso".

Bernardin - forma francesa de Bernardino.

Bernardino - diminutivo de Bernardo.

Bernardo - **Bernard (ing.)** - **Bernhard (germ.)** - **Bernhardt (germ.)** - de origem germânica, significa "valente, forte como um urso".

Bernie - diminutivo inglês para Bernardo.

Bernulfo - de origem germânica, significa "urso e lobo".

Bert - forma diminutiva inglesa para os nomes Albert / Bertram / Egbert / Gilbert.

Berto - variante masculina de Berta. Variante: Bertino.

Bertoldo - **Berthold (ing.)** - de origem germânica, significa "governador brilhante, famoso". Diminutivos ingleses: Bert / Bertie.

Bertram - de origem germânica, significa "brilhante, ilustre, notável". Variantes: Bartram / Bert / Bertie.

Bertrand - forma francesa de Bertram.

Beto - forma diminutiva de Alberto / Roberto.

Biagio - nome italiano de origem latina, significa "balbuciente, que balbucia". Variantes: Biase / Biasino.

Bianor - de origem grega, significa "homem que possui força".

Bias - de origem grega, significa "poder, força, potência".

Bibi - forma reduzida de Bibiano.

Bibiano - variante masculina de Bibiana.

Bill - **Billie** - formas diminutivas do nome inglês William / Guilherme.

Billy - variante reduzida de Gugliemo / Guilherme.

Bilu - apelido para substituir vários nomes, tais como Emílio e Tobias.

Bino - **Bine** - de origem hebraica, significa "abelha"; no italiano, é forma reduzida de Albino / Sabino.

Bira - forma reduzida de Ubirajara / Ubiratan.

Björn - de origem norueguesa, significa "urso".

Blandino - forma masculina de Blandina.

Blas - **Blay** - de origem latina, significa "tartamudo".

Bleddyn - de origem galesa, significa "urso".

Blumenau - sobrenome de origem germânica, significa "campina florida, campo cheio de flores".

Boabdil - de origem árabe, significa "pai do servo de Alá".

Boanerges - de origem aramaica, significa "filhos do trovão"; apelido dado por Jesus a seus discípulos Tiago e João.

Boas - **Boaz** - de origem hebraica, significa "transitoriedade, celeridade".

Boaventura - de origem latina, significa "uma boa aventura, um feliz acontecimento".

Bob - **Bobbie** - **Bobby** - formas diminutivas inglesas para Roberto.

Boiardo - de origem germânica, significa "forte como um arco".

Boleslau - de origem eslava, significa "a maior glória, glória mais alta".

Bond - de origem germânica, significa "aldeão"; sobrenome de um herói de filmes de espionagem.

Bôni - forma reduzida de Bonifácio.

Bonifácio - **Boniface (ing.)** - **Bonifazio (it.)** - **Bonifazius (lat.)** - de origem latina, significa "aquele que tem destino venturoso, com sorte".

Booz - de origem hebraica, significa "nele reside a força".

Bopp - variante de Giacomo / Jacó.

Bóris - de origem russa, significa "pequeno" ou "guerreiro que combate os tiranos".

Borja - abreviação do nome espanhol São Francisco de Borja.

Boromeu - de origem italiana, significa "bom romeiro".

Bortolo - variante italiana de Bortolomeu.

Boyne - de origem gaélica, é o nome de um riacho.

Brad - forma diminutiva de Bradley.

Bradford - de origem inglesa, significa "lugar para passar a vau".

Bradley - de origem no velho inglês, significa "clareira" ou "extensa mata".

Bram - forma diminutiva de Abram (Abraham, em inglês).

Bran - de origem gaélica, significa "corvo".

Brand - de origem no velho inglês, significa "tição, pedaço de lenha acesa".

Brás - de origem latina, significa "gago, que balbucia".

Brasil - "a cor vermelha do pau-brasil".

Brasiliano - de origem no vernáculo, significa "próprio do Brasil".

Brasilino - próprio do pau-brasil, do Brasil.

Bráulio - de origem germânica, significa "radiante, resplandecente".

Brendan - de origem céltica, significa "príncipe". Variante: Brandon.

Breno - de origem gaulesa, significa "dirigente, chefe, comandante". Foi o rei gaulês que derrotou os romanos nos primórdios da fundação de Roma.

Bret - **Brett** - de origem no velho francês, significa "bretão".

Brian - de origem céltica, significa "forte". Variante: Bryan.

Brígido - **Bricio (esp.)** - de origem céltica, significa "força, o fogo de Deus".

Broderico - **Broderic (ing.)** - **Broderick (ing.)** - de origem galesa, significa "filho de Roderico"; no gaélico, significa "irmão".

Bron - forma inglesa reduzida de Auberon / Oberon.

Bros - forma reduzida de Ambrogio / Ambrósio.

Bruce - com origem no nome de uma localidade normanda, é desconhecido o seu significado.

Bruno - **Brunaldo** - **Brunello** - **Brunetto** - **Brunone** - de origem germânica, significa "brilhante", mas, também, "escuro, moreno, bronzeado".

Bruto - de origem latina, significa "bronco, rude, pesadão".

Bryan - variante de Brian.

Bryn - de origem galesa, significa "colina".

Budd - **Buddy** - de origem no velho inglês, era uma expressão usada para "amigo" ou para "irmão".

Buenaventura - forma espanhola para Boaventura.

Buriti - de origem tupi, significa "árvore da vida".

Burt - forma diminutiva de Burton.

Burton - com origem no velho inglês, significa "paliçada de um lugar fortificado".

Byron - com origem no velho inglês, significa "estábulo"; foi um grande poeta do Romantismo inglês.

C

Cadmo - **Câdmio** - **Cadmus (ing.)** - de origem fenícia, significa "primogênito".

Caesar - grafia latina e inglesa de César, nome de origem latina que significa "cabeleira longa".

Caetano - de origem italiana, significa "natural de Gaeta (cidade da Itália)".

Caeté - de origem tupi, significa "mata, mata verdadeira".

Caim - de origem hebraica, significa "lança"; do árabe, "ferreiro".

Caio - de origem latina, significa "feliz, gaio, alegre".

Cairu - de origem tupi, significa "árvore de folha escura".

Caiubi - de origem tupi, significa "caju verde" ou "folhas azuis".

Caleb - **Calebe** - de origem hebraica, significa "cão"; forma reduzida: Cale.

Calígula - de origem latina, significa "botinha".

Calil - variante do nome árabe Kalil.

Calímaco - de origem grega, significa "aquele que bem conhece, que bem combate".

Calino - de origem grega, significa "espirituoso".

Calipso - de origem grega, significa "a oculta, a escondida" ou "água de um rio na Cilícia".

Calístene - de origem grega, significa "força, beleza, magnificência".

Calisto - **Callisto (ing.)** - de origem grega, significa "belíssimo, ótimo"; na mitologia grega, era uma ninfa apaixonada por Ulisses.

Calixto - de origem latina, significa "cálice".

Calógeras - **Calogera (it.)** - **Calogero (it.)** - de origem grega, significa "aquele que tem uma velhice boa".

Calvino - de origem latina, significa "calvo".

Cam - de origem hebraica, significa "quente, tostado, negro"; filho de Noé.

Cambises - príncipe persa, pai de Ciro, o Grande.

Camerino - nome de origem italiana, possivelmente significa "pequeno quarto de dormir".

Cameron - de origem gaélica, significa "nariz aduncо, narigão".

Camilo - **Camillo (it.)** - **Camillus (lat.)** - de origem latina, significa "aquele que ajuda no sacrifício".

Camocim - de origem tupi, significa "vaso de água".

Campbell - de origem gaélica, significa "boca torta".

Canciano - de origem latina, derivado de Câncio.

Câncio - de origem latina, significa "canto, melodia, maravilha".

Cândido - de origem latina, significa "branco, puro, imaculado".

Cantídio - de origem latina, talvez com raízes no etrusco, é desconhecido o seu significado.

Canuto - **Canute (ing.)** - de origem no velho norueguês, significa "que tem estirpe, descendência". Variantes em inglês: Cnut / Knut.

Capitolino - de origem latina, significa "que é adorado no monte Capitólio".

Caramuru - de origem do tupi, significa "homem branco do trovão".

Carey - de origem galesa, significa "morador, habitante do castelo"; diminutivo: Cary.

Cariri - de origem no tupi, significa "pacífico, calado, quieto, reservado".

Carlindo - forma variante de Carlo / Carlos.

Carlinho - variante diminutiva de Carlos, de muito uso entre as pessoas de origem italiana.

Carlos - **Carl (ing.)** - **Carlo (it.)** - **Charles (fr.)** - **Karl (germ.)** - de origem germânica, significa "viril, forte, varonil". Variantes inglesas: Carlin / Carlisle / Carlton; variante em português: Carlinhos; vairantes em italiano: Carlin / Carlino / Carletto.

Carmelino - variante diminutiva de Carmelo.

Carmelo - **Carmel (ing.)** - de origem hebraica, significa "jardim, vinha de Deus".

Carr - significa "vegetação crescida em um pântano". Variantes: Karr / Kerr.

Cárter - de origem no velho inglês, significa "um guia, um fabricante de carros".

Casimiro - Casimir (ing.) - de origem eslava, significa "quem estabelece a paz, o apaziguador, o pacificador".

Caspar - Casper - Jasper (hol.) - de origem persa, significa "o principal tesouro".

Cassiano - de origem latina, significa "justo, equitativo, dedicado a Cássio".

Cássio - Cassian (ing.) - Cassius (ing.) - de origem latina, significa "ilustre, notável"; diminutivo em inglês: Cass.

Castor - de origem grega, indica um animal de pele dura e roedor.

Castorino - variante de Castor.

Catão - de origem latina, significa "prudente, esperto".

Cato - nome de uma família romana, significa "sábio, erudito".

Catumbi - de origem tupi, significa "mato verde".

Cauê - nome de origem tupi.

Cecco - forma diminutiva italiana para Francesco.

Cecílio - Cecil (ing.) - forma masculina de Cecília.

Ceciliano - Ciciliano - variantes de Cecília.

Cedric - de origem saxônica; conforme o romance Ivanhoé, de Walter Scott, foi o primeiro rei de Wessex, um dos sete grandes reinos anglo-saxões que deram origem à Inglaterra.

Cefas - Cephas - de origem aramaica, significa "pedra, rocha"; em português, Pedro.

Celestino - Celestin - variante de Celeste; "um habitante do céu".

Celino - de origem latina, forma diminutiva de Célia ou forma derivada de Selene. Também significa "lua", em latim.

Célio - forma masculina de Célia.

Celso - de origem latina, significa "excelso, elevado, sublime".

Censo - Cenzino - variantes italianas de Vincenzo.

Ceri - Céri - de origem galesa, significa "amor". Variantes: Cerian / Cerys.

César - Caesar (ing./lat.) - Cesare (it.) - de origem latina, significa "cabeleira longa, cabeludo". Apelido da família de imperadores romanos Júlia, cujos descendentes mais famosos foram Caio Júlio e Otávio Augusto.

Cesara - Cesareo - variantes de César em italiano.

Cesarino - forma masculina derivada de César.

Cesário - forma derivada de César.

Cesco - forma italiana reduzida de Francesco.

Chagas - nome derivado das chagas provocadas em Jesus Cristo pela crucificação.

Charles - forma francesa de Carlos. Formas diminutivas: Charlie / Charley.

Charlton - Charleton - formas variantes inglesas de Carlos.

Checco - forma reduzida de Francesco.

Chico - forma reduzida de Francisco ou apenas usado como apelido de pessoas.

Chris - Chriss - forma diminutiva de Chrístian / Chrístopher.

Chrístian - de origem latina, significa "cristão, seguidor de Cristo". Formas diminutivas: Chris / Chrístie / Chrísty.

Chrístie - forma diminutiva de Chrístian / Chrístopher; variante: Chrísty.

Cian - de origem gaélica irlandesa, significa "velho". Formas inglesas: Kean / Keane.

Ciano - forma reduzida de Luciano, em italiano.

Cícero - de origem latina, significa "ervilha, grão-de-bico, plantador de ervilhas". Foi um famoso orador romano, conhecido por seus discursos contra Catilina, senador da Roma Antiga.

Cid - de origem árabe-marroquina, significa "senhor"; nome de um lendário e romântico herói hispânico. Variantes: Cide / Cídi.

Cido - forma masculina de Cida, diminutivo de Aparecido.

Cidenei - deturpação fonética e gráfica do nome Sidnei / Sidney.

Cílio - forma masculina reduzida de Cecília.

Cincinato - de origem latina, significa "aquele que tem cabelo cacheado, encaracolado".

Cipião - Scipione (it.) - de origem latina, significa "bastão, bordão".

Cipriano - de origem latina, significa "cipriota, natural da ilha de Chipre".

Cirano - **Cireneu** - de origem grega, significa "natural de Cirene (antiga colônia grega na atual Líbia)".

Ciríaco - de origem grega, significa "homem do Senhor".

Cirilo - de origem grega, significa "com toda autoridade".

Cirino - forma variante de Quirino.

Ciro - de origem grega, significa "senhor poderoso"; do persa, "senhor do Sol, deus do Sol".

Clarêncio - **Clarence (ing.)** - de origem latina, significa "brilhante, ilustrador"; variante inglesa: Clarrie.

Clarimundo - de origem germânica, significa "proteção".

Clarindo - forma masculina de Clarinda.

Clark - de origem inglesa, significa "clérigo, empregado".

Claudiano - forma derivada de Cláudio.

Claudino - variante de Cláudio.

Cláudio - **Claud (ing.)** - **Claude (fr.)** - **Claudius (lat.)** - de origem latina, significa "coxo, manco"; foi nome de uma família romana.

Claudionor - de origem latina, "aquele que honra Cláudio".

Claudius - forma latina, holandesa e germânica de Cláudio.

Claus - variante do nome Klaus.

Clay - de origem no velho inglês, diminutivo de Claiborne / Clayborne / Clayton / Clêiton.

Clayton - **Clêiton** - de origem no velho inglês, significa "lugar com barro bom, lugar barrento". Diminutivo: Clay.

Cléber - de origem francesa, foi nome de um general valoroso.

Clécio - forma diminutiva de Dioclécio.

Clei - de origem no velho inglês, significa "barro"; em inglês, Clay.

Cleir - variante de Clei.

Clélio - de origem latina, significa "famoso, ilustre" ou "filho de cliente".

Clemenciano - variante de Clemêncio.

Clemêncio - forma masculina de Clemência.

Clemente - **Clemen** - **Clement (ing.)** - de origem latina, "bondoso, benevolente, magnânimo".

Clementino - variante de Clemente; formas diminutivas: Cleme / Tino.

Clemenzio - forma italiana para Clemente.

Clemir - variante de Clem.

Cleo - de origem grega, significa "glória, fama".

Cleomedes - estudioso grego de astronomia, escreveu um livro demonstrando o heliocentrismo.

Cleómenes - de origem grega, significa "famoso por sua valentia".

Cleon - variante de Cleo.

Cleonte - nome de um general e estadista ateniense.

Cleso - variante de Creso.

Cleto - de origem grega, significa "famoso, célebre, o eleito".

Cliff - forma diminutiva de Clifford.

Clifford - significa "passagem em um penhasco".

Clímaco - de origem grega, significa "escada".

Clint - forma diminutiva de Clínton.

Clínton - de origem inglesa, significa "assentamento em uma colina".

Clístenes - nome de um famoso político ateniense.

Clito - de origem grega, significa "famoso, ilustre".

Clive - de origem inglesa, significa "no penhasco".

Clódio - variante de Cláudio.

Clodoando - de origem germânica, significa "chefe ilustre".

Clodoberto - de origem germânica, significa "fama gloriosa".

Clodomiro - de origem germânica, significa "de grande fama".

Clodoveu - variante de Clodovico.

Clodovico - de origem germânica, significa "guerreiro famoso".

Clóver - de origem inglesa, nome de uma planta que floresce.

Clóvis - de origem germânica, significa "guerreiro, guerreiro famoso".

Clyde - nome de um rio escocês, significa "limpo, límpido".

Cnut - variante inglesa de Canuto.

Colatino - de origem latina, significa "quem vive de coletas, esmolas".

Colberto - de origem no inglês antigo, significa "brilhante marinheiro".

Colby - de origem norueguesa, significa "sítio escuro".

Col - forma diminutiva de Colman / Columba.

Cole - de origem inglesa, significa "escuro, carvão escuro, preto".

Coleman - de origem no velho inglês, significa "homem escuro".

Colin - forma diminutiva de Nícholas.

Colman - de origem irlandesa gaélica, significa "guardador de pombas".

Colombo - de origem latina, significa "pombo".

Con - forma diminutiva de Conan / Connall / Connor / Conrad / Constance.

Conan - de origem no gaélico irlandês, significa "pequeno cão de caça"; forma diminutiva: Con.

Confúcio - de origem chinesa, grande filósofo da China, gênio de cunho universal.

Conn - de origem céltica, significa "chefe".

Connall - de origem no irlandês e no escocês gaélico, significa "corajoso".

Connor - de origem no gaélico irlandês, significa "grande desejo, vontade".

Conrado - **Conrad (ing.)** - **Corrado (it.)** - de origem germânica, significa "ser conselheiro"; forma diminutiva: Con.

Conroy - de origem gaélica, significa "sábio".

Constâncio - forma masculina de Constância.

Constant - forma inglesa para Constâncio.

Constante - de origem latina, significa "persistente, constante".

Constantine - forma para Constantino.

Constantino - de origem latina, significa "constante, firme, perseverante".

Contardo - de origem germânica, significa "forte no combate, na batalha".

Copérnico - nome de um notável astrônomo polonês.

Copertino - referente à cidade italiana Copertino.

Corbet - **Corbett** - de origem no velho francês, significa "jovem corvo" ou "cabelo preto".

Coriolano - nome de um herói romano antigo.

Cornélio - **Cornelius (ing./lat.)** - de origem latina, significa "da dureza de chifre".

Cornell - variante inglesa de Cornélio.

Corrado - forma italiana de Conrado.

Corwin - de origem no velho francês, significa "amigo do coração".

Cósimo - **Cosimino** - forma italiana de Cosme, variante: Cosmo.

Cosme - de origem grega, significa "enfeitado, belo".

Cosmo - de origem grega, significa "mundo, cosmos, universo".

Costanzo - forma italiana de Constâncio / Constantino.

Crasso - de origem latina, significa "gordo, volumoso"; nome de um político romano muito rico.

Crawford - de origem no velho inglês, significa "passagem de corvos, local de corvos".

Crepin - forma francesa de Crispin.

Crescêncio - de origem latina, significa "crescente, aquele que cresce".

Creso - de origem grega, nome de um rei.

Crisandro - de origem grega, significa "homem de ouro, homem dourado".

Crisântemo - de origem grega, nome de uma flor.

Crisanto - de origem grega, significa "flor amarela, flor dourada, flor de ouro".

Crisógono - de origem grega, significa "gerado do ouro, proveniente do ouro".

Crisólito - de origem grega, significa "pedra de ouro".

Crisólogo - de origem grega, significa "palavra de ouro".

Crisóstomo - de origem grega, significa "boca de ouro".

Crispin - **Crispian (ing.)** - **Crispim** - **Crispus (germ.)** - de origem latina, significa "cabelo crespo". Variante: Crispiniano.

Cristiano - forma masculina de Cristiana.

Cristino - de origem grega, significa "seguidor de Cristo".

Cristóbal - forma espanhola de Christopher / Cristóvão.

Cristóforo - forma italiana de Christopher / Cristóvão.

Cristo - de origem grega, significa "ungido, consagrado, preparado".

MENINOS

Cristóvão - Cristovam - de origem grega, significa "que carrega Cristo, carregador de Cristo".

Cromwell - de origem inglesa, significa "enrolamento de espiral".

Crosbie - Crosby - de origem inglesa, significa "fazenda" ou "povoado com cruzes".

Culley - de origem no gaélico escocês, significa "terra de matas".

Cúrcio - de origem latina, significa "curto, pequeno".

Curi - de origem árabe, significa "sacerdote, crédito".

Curt - variante de Kurt; forma diminutiva de Curtis.

Curtis - de origem no velho francês, significa "cortês, educado, polido, culto".

Custódio - de origem latina, significa "guarda, proteção".

Cy - forma diminutiva de Cyrus.

Cyprian - Cipriano - de origem grega, próprio da ilha de Chipre.

Cyrano - de origem grega, indica o nome de uma cidade do norte da África.

Cyril - Cyrill - Cyrille (fr.) - Cirilo - de origem grega, significa "nobre, senhoril, fidalgo".

Cyrillus - Cirilo em holandês, dinamarquês e sueco.

Cyrus - Ciro - de origem persa, significa "sol".

d

MENINOS

Dã - de origem hebraica, significa "juiz".

Daciano - de origem grega, "nascido na Dácia"; nome de um grande filósofo lusitano.

Dácio - de origem latina, significa "dado por Deus".

Dafydd - forma galesa para o nome Davi.

Dag - de origem norueguesa, significa "dia".

Dagan - de origem semítica, significa "uma terra de Deus para os assírios e babilônicos".

Dagoberto - de origem germânica, significa "aquele que brilha como o sol, claro como o dia".

Daí - uma forma diminutiva galesa para o nome Davi.

Dalbert - de origem anglo-saxônica, significa "orgulhoso, brilhante".

Dale - de origem no velho inglês, significa "vale".

Daley - nome de origem no irlandês gaélico, significa "assembleia". Variante: Daly.

Dalmo - **Dalmácio** - forma masculina variante de Dalmácia.

Dalmiro - de origem germânica, variante de Delmiro, significa "nobre, ilustre, notável".

Dálton - **Dalton** - de origem inglesa, significa "aldeia do vale".

Dalvino - forma diminutiva masculina de Dalva.

Damasceno - de origem grega, significa "natural de Damasco (capital da Síria)".

Damásio - de origem grega, significa "dominar, domar, amansar".

Damaso - **Dámaso** - variantes de Damásio.

Damián - forma espanhola de Damião.

Damian - forma francesa de Damião.

Damiano - de origem grega, significa "domador, homem do povo".

Damião - de origem grega, significa "domador, vencedor, homem do povo".

Damien - de origem grega, significa "domador".

Damon - de origem grega, significa "conquistador".

Dan - de origem hebraica, significa "juiz"; variante diminutiva de Daniel.

Dandie - **Dandy** - formas escocesas diminutivas de Andrew.

Daniel - de origem hebraica, significa "Deus é meu juiz"; um dos quatro grandes profetas cujas profecias ainda são muito estudadas pelos videntes. Formas diminutivas: Dan / Dani / Dannie / Danny.

Danilo - **Daniil** - **Danil** - **Danio** - **Dannie** - **Danny** - variantes de Daniel.

Danley - **Dânlei** - variante de Denley.

Dante - de origem latina, significa "imutável, imperturbável".

Danton - de origem francesa, originado do nome D'Anthon.

Darci - **Darcie (ing.)** - **Darcy (ing.)** - do velho francês, significa "fortaleza".

Darell - variante de Darrell.

Dário - **Dario** - **Darius (lat./ing.)** - de origem persa, significa "preservador".

Darrell - **Darrel** - **Darrelle (fr.)** - de origem francesa, significa "natural de Airelle (Normandia)". Formas variantes: Darell / Daryl / Darryl.

Davi - **David (ing.)** - **Davide (fr.)** - **Davidde (it.)** - de origem hebraica, significa "o amado". Formas variantes: Dave / Davie / Davy.

Davin - forma variante de Devin.

Davino - variante de Davi.

Davis - de origem no velho inglês, significa "filho de Davi".

Davy - forma diminutiva de Davi.

Dawn - de origem inglesa, significa "a primeira parte do dia".

Dean - de origem no velho inglês, significa "aquele que vive num vale"; forma inglesa do francês Dino.

Décimo - numeral ordinal, nome romano.

Décio - nome romano, dado ao décimo filho, hoje, não mais feito assim.

Dédalo - de origem grega, significa "o inventor, o criador".

Dee - forma diminutiva, em inglês, dos nomes começados com "d".

Deinol - de origem galesa, significa "charmoso, elegante".

Delciso - variante masculina de Adalgisa.

Delfim - **Delfine** - **Delphine** - de origem latina, significa "golfinho" ou "uma constelação".

Delfino - variante de Delfim.

Délio - forma masculina de Délia.

Dell - de origem inglesa, significa "quem vive em um desfiladeiro"; também forma diminutiva de Delmar.

Delmar - forma masculina de Delma.

Delmiro - forma reduzida de Aldomiro.

Delyth - de origem galesa, significa "lindo, formoso, charmoso".

Demerval - de origem francesa, nome de uma aldeia chamada d'Amerval.

Demétrio - **Deméter** - **Demetre** - **Demétrios** - **Demetrius (ing.)** - formas masculinas de Demétria.

Demócrates - **Demócrito** - de origem grega, "dirigente do povo, guia do povo".

Demóstenes - de origem grega, significa "a força do povo".

Den - forma diminutiva de Denis / Dênis / Dênio / Dênison / Denley / Denman / Dênnis / Dênnison / Denton / Dênver / Denzel / Denzell / Denzil.

Deni - variante de Dionísio.

Denby - de origem norueguesa, significa "assentamento dinamarquês".

Denílson - de origem inglesa, significa "filho de Denil".

Dênio - forma variante de Daniel / Dânio.

Dênis - de origem grega, significa "deus do vinho"; variante inglesa de Dionísio.

Dênison - forma variante de Dênisson.

Denley - **Danlei** - **Danley** - de origem no velho inglês, significa "bosque" ou "clareira em um vale".

Denman - de origem no velho inglês, significa "morador de um vale".

Dênnison - de origem inglesa, significa "filho de Dênis". Variantes: Dênison / Tênnison / Tennyson.

Dênver - de origem no velho inglês, significa "encruzilhada dos dinamarqueses".

Denzel - **Denzell** - **Denzil** - de origem céltica, significa "fortaleza, lugar fortificado".

Deocleciano - de origem grega, significa "glória de Deus".

Deoclécio - variante de Deocleciano.

Deodato - de origem latina, significa "dado por Deus, dedicado a Deus".

Deodoro - de origem grega, significa "presente de Deus, presente divino".

Deolindo - de origem germânica, significa "serpente adorada pelo povo" ou "escudo, broquel".

Deon - forma variante de Dion.

Dereck - forma inglesa de Theodoric. Variantes: Derrick / Derrik / Derry.

Desiderato - de origem latina, significa "desejado".

Desideré - de origem francesa, significa "o desejado".

Desidério - de origem latina, significa "o desejado, o desejável".

Desmond - de origem irlandesa, significa "descendente de alguém de South Munster (região sul da província de Munster, na Irlanda)".

Deusdit - de origem latina, significa "Deus diz".

Diamantino - próprio do diamante; variante: Adamantino.

Diamiro - variante de Diomiro.

Diamond - de origem latina, significa "diamante em inglês".

Dib - variante de Adibe.

Dick - **Dickie** - **Dickson** - formas inglesas reduzidas de Richard.

Dickson - de origem no velho inglês, significa "filho de Ricardo".

Dicky - forma diminutiva de Richard.

Dídimo - de origem grega, significa "gêmeo".

Dieudonné - de origem francesa, significa "dado por Deus".

Diego - forma espanhola para Diogo; diminutivo: Dieguito.

Dileto - significa "querido, amado, muito amado".

Dilermando - de origem francesa, significa "o homem de armas".

Dilmar - variante de Delmar.

Dillon - de origem germânica ou do gaélico irlandês, significa "destruidor".

Dimas - nome de um dos ladrões crucificados ao lado de Jesus Cristo, foi o que pediu perdão e teve a promessa de estar, no mesmo dia, no paraíso com Jesus.

Dimitra - **Dimítri** - variantes de Demétrio.

Dinarte - de origem germânica, significa "guerreiro".

Dine - forma reduzida em italiano para Cláudio.

Dinis - **Diniz** - variantes de Dênis / Dionísio.

Dino - forma masculina de Dina.

Diocleciano - de origem grega, significa "a glória de Júpiter".

Dioclécio - forma variante de Diocleciano.

Diodoro - de origem grega, significa "presente de Deus, dado por Deus".

Diógenes - de origem grega, significa "gerado por Deus"; nome de um filósofo grego.

Diogo - de origem francesa popular, vem de Didaco.

Diomar - de origem germânica, significa "afamado, notável". Variante: Diomário.

Diomedes - de origem grega, significa "tratado por Deus".

Diomiro - de origem grega, significa "eleito por Deus".

Dion - forma abreviada de Dionísio, deus do vinho entre os gregos; variante: Deon.

Dionísio - **Dionigio (it.)** - nome de um deus grego, do vinho e da vegetação; Baco em latim. Diminutivos: Deni / Dêni / Deon / Di / Dion.

Dirceu - variante masculina de Dirce.

Dirk - forma holandesa de Dereck, diminutivo de Teodorico.

Dirley - **Dirlei** - de origem e significado desconhecidos; variante: Darlei.

Divino - de origem latina, próprio da natureza de Deus.

Díxie - forma diminutiva de Benedita.

Díxon - variante de Díckson.

Djalma - de origem germânica, significa "conhecido pelo Elmo".

Doardo - **Doardino** - formas reduzidas italianas para Edoardo / Eduardo.

Dolph - diminutivo inglês para Adolfo.

Domênico - forma italiana para Domingos.

Domiciano - de origem latina, significa "homem dominado, dado a fraquezas".

Domício - de origem latina, significa "homem dominado, subordinado".

Domingos - **Domenico (it.)** - **Dominic (ing.)** - **Dominick (ing.)** - **Domingo (esp.)** - de origem latina, significa "próprio do Senhor, nascido no Domingo"; diminutivo: Dom; diminutivo espanhol: Mingo.

Don - diminutivo inglês para Donal / Donald / Donall.

Donal - variante inglesa de Donaldo, com as seguintes variantes: Don / Dónal / Donall / Donnie / Donny.

Donaldo - de origem no gaélico escocês, significa "governante absoluto, dirigente". Variantes diminutivas em inglês: Don / Donnie / Donny.

Donário - de origem latina, significa "aquele que doa, aquele que presenteia".

Donato - de origem latina, significa "presente de Deus, dado por Deus".

Donatello - variante de Donato.

Dorian - de origem grega, um dos povos que invadiu a Grécia.

Doriano - de origem grega, significa "natural da Dórida, Grécia".

Doriva - **Dorival** - variantes de Dorval.

Doroteu - de origem grega, significa "presente de Deus".

Doroti - forma inglesa de Dorotéia; diminutivo: Doro.

Dorval - variante de Durval.

Dorvalino - forma diminutiva de Dorval.

Dougal - **Dougall** - de origem gaélica, significa "estrangeiro preto", com as seguintes variantes: Doug / Dougie / Dugald / Duggie.

Douglas - de origem gaélico-escocesa, significa "água negra, água escura"; diminutivos em inglês: Doug / Dougie / Duggie.

Dourival - formação portuguesa, significa "vale dourado".

Dovíglio - variante de Duílio.

Doyle - variante de Dougal, com origem no gaélico-irlandês.

Drumond - de origem céltica, significa "costas"; para outros, com origem no germânico, significa "proteção".

Dudu - abreviação de Eduardo.

Duílio - de origem latina, nome de um cônsul romano, na primeira guerra Púnica.

Dulcino - variante de Dulce.

Duncan - de origem céltica, significa "soldado negro", foi nome de dois reis da Escócia.

Durval - **Dorward (ing.)** - **Durward (ing.)** - de origem no inglês antigo, significa "porteiro" ou "sacerdote de Thor".

Durvalino - forma variante de Durval.

Dustin - de origem inglesa, provavelmente proveniente de Dionísio.

Duval - de origem francesa, significa "do vale".

Dyfan - de origem galesa, significa "dirigente, chefe".

Dylan - de origem galesa, significa "mar".

e

Eamon - Eamonn - de origem gaélica irlandesa, é variante de Edmund / Edmundo.

Eberardo - Eberhard - Ebert - de origem germânica, significa "pessoa forte como um javali"; variante de Everardo.

Ebraim - de origem hebraica, significa "patriarca de uma das doze tribos".

Écio - variante de Aécio.

Ed - forma diminutiva de Edbert / Edgar / Edmund / Edward / Edwin.

Edan - forma escocesa de Aidan.

Edberto - Edbert (ing.) - de origem no velho inglês, significa "próspero, brilhante".

Eddie - Eddy - formas masculinas diminutivas de Edbert / Edgar / Edmundo / Edward / Edwin.

Edel - de origem germânica, significa "nobre".

Edelberto - variante de Adalberto.

Edelmar - de origem no velho inglês, significa "nobre, famoso".

Éden - de origem hebraica, significa "paraíso".

Edênico - próprio do Éden.

Edenir - variante de Éden.

Éder - de origem no basco, significa "belo, formoso".

Ederval - nome derivado de Éder com o sufixo "val"; significa "belo sacerdote de Thor".

Edésio - de origem latina, derivado de Edésia (nome da deusa que presidia às refeições).

Edgar - Edgardo (it.) - de origem no velho inglês, significa "defensor da prosperidade"; em inglês, são usadas diversas formas diminutivas: Ed / Eddie / Eddy / Ned / Neddie / Neddy.

Edgardo - forma portuguesa e italiana de Edgar.

Edi - Édi - derivada do inglês, Edy, tanto pode ser Eduardo como Edite.

Edílson - de origem inglesa, "filho de Edi".

Edinílson - de formação inglesa, significa "filho de Edwin".

Édio - variante de Edi / Edy; forma diminutiva de Eduardo.

Edionei - variante de Édio.

Édipo - de origem grega, significa "o que tem os pés inchados"; figura muito conhecida da mitologia grega e das tragédias; lembrado sempre no tema psicológico "o complexo de Édipo".

Edir - variante de Edi / Édi.

Édison - Édisson - de origem inglesa, significa "filho de Eddy"; variante: Édson.

Edilyn - de origem no velho inglês, significa "servo nobre".

Edmar - de origem germânica, significa "conhecido por sua riqueza, notável por suas riquezas".

Edmond - forma francesa de Edmundo.

Edmundo - Edmond (ing.) - Edmund (ing.) - de origem no velho inglês, significa "quem defende a prosperidade". Variantes: Edme / Edmo.

Edo - forma diminutiva italiana de Edoardo / Eduardo.

Eduardo - Edoardo (it.) - Édouard (fr.) - Edward (ing.) - de origem no velho inglês, significa "guardião da felicidade". Diminutivos familiares: Edu / Dudu / Duduzinho; em inglês: Ed / Eddie / Eddy / Ned / Ted / Teddy.

Eduíno - de origem no anglo-saxônico, variante de Edvino.

Edvaldo - Edwald (ing.) - de origem no velho inglês, significa "próspero dirigente; chefe hábil".

Edvi - Edwy - variantes de Edvino.

Edvino - Edwin (ing.) - de origem no velho inglês, significa "amigo da prosperidade".

Efraim - de origem hebraica, significa "muito frutífero".

Efrém - Efrem - variante de Efraim.

Egan - de origem no gaélico-irlandês, significa "filho de Hugo".

Egas - **Ega** - de origem germânica, significa "espada".

Egbaldo - de origem germânica, significa "ousado com a espada".

Egberto - **Egbert** - de origem anglo-saxônica, significa "espada brilhante".

Egídio - de origem grega, significa "protetor, escudo divino".

Egildo - variante de Ermenegildo.

Eginaldo - de origem germânica, significa "forte na espada".

Eginardo - variante de Eguinardo.

Egisto - de origem grega, significa "criado por uma cabra".

Egle - de origem grega, significa "esplendor, brilho".

Egon - **Égon** - **Êgon** - de origem grega, significa "quem luta, pastor".

Eguinardo - de origem germânica, significa "espada forte".

Ehren - de origem germânica, significa "honorável".

Ehrenfried - de origem germânica, significa "honrado e pacífico" ou "paz da honra".

Eidil - de origem germânica, significa "fidalgo, nobre"; por origem árabe, significa "justiceiro".

Einar - de origem escandinava, significa "o que luta, guerreiro escolhido".

Einardo - variante de Eguinardo.

Eládio - **Eladir** - variantes de Heládio.

Elcemir - variante de Selmar.

Élcio - de origem latina, significa "corda para puxar".

Élder - de origem no velho inglês, significa "mais velho, sênior".

Éldon - de origem no velho inglês, significa "a colina de Ella".

Eldred - de origem no velho inglês, significa "terrível".

Eleazar - **Eleazer** - variantes de Eliezer; de origem hebraica, significando "Deus é meu auxílio".

Elésio - variante de Elísio.

Eleutério - de origem grega, significa "libertador, livre".

Elfed - de origem galesa, significa "outono".

Elgan - de origem galesa, significa "círculo brilhante".

Eli - de origem hebraica, significa "Deus é altíssimo". Também pode ser usado como forma diminutiva em inglês de Elias / Elijah / Eliezer. Variante: Ely.

Eliab - de origem hebraica, significa "meu Deus é pai".

Eliano - forma masculina de Eliana.

Eliaquim - de origem hebraica, significa "Deus determina, Deus estabelece".

Elias - Elia (it.) - Elijah - de origem hebraica, significa "meu Deus é Jeová"; diminutivo: Eli.

Elício - outro nome com que era invocado Zeus.

Eliezer - de origem hebraica, significa "meu Deus é meu socorro"; variante: Eleazar.

Elígio - de origem latina, significa "o eleito".

Elihu - de origem hebraica, significa "Ele é meu Deus".

Elijah - de origem hebraica, significa "Jeová é meu Deus"; diminutivo: Lije.

Elimar - de origem germânica, significa "elevação nobre, grande nobreza".

Eliot - variante de Elliot.

Eliseu - Eliseo (esp./it.) - de origem hebraica, significa "meu Deus é a salvação".

Elisiário - variante de Eleazar.

Elísio - de origem grega, significa "os campos elísios", ou seja, "o paraíso para os gregos bons".

Elliot - Eliot - derivação francesa em forma de diminutivo de Elias.

Ellis - forma mais antiga inglesa do nome Elias.

Éllisson - de origem inglesa, significa "filho de Elias".

Elmo - de origem germânica, significa "capacete"; de origem grega, "amável, afável".

Elmore - de origem no velho inglês, significa "banco de rio com olmos".

Elói - Eloy - de origem francesa, significa "escolhido, eleito".

Elpídio - de origem grega, significa "esperança, deus" ou "deusa da esperança".

Elroy - variante de Leroy.

Élson - de origem hebraica, significa "filho de Eli".

Élton - de origem inglesa, significa "aquele que vem da cidade de Ella".

Eluned - de origem galesa, significa "ídolo".

Elvino - Elvin (ing.) - de origem no velho inglês, significa "nobre amigo, amigo fiel"; variante inglesa: Elwin.

Élvio - Elvídio - Elvino - formas italianas para Hélvio.

Élvis - Elwis - de origem no velho norueguês, significa "sábio, conhecedor, sabedor".

Elzeário - de origem hebraica, significa "socorro de Deus".

Emanuel - Immanuel (ing.) - de origem hebraica, significa "Deus está conosco". Diminutivos: Ema / Emma / Imma / Manu / Manny. Variantes: Manolo / Manuel.

Emerenciano - de origem latina, significa "grande merecedor".

Émerson - de origem inglesa, significa "filho de Emer".

Emery - forma variante de Amory.

Emídio - de origem latina, significa "semideus".

Emil - nome de uma nobre família romana, cujo significado é desconhecido.

Emiliano - variante de Emílio.

Emílio - de origem latina, significa "solícito, prestativo, diligente".

Emir - de origem árabe, significa "príncipe".

Emy - forma reduzida de Emílio.

Emyr - forma galesa de Honório.

Enéias - Aeneas (ing.) - Eneas - de origem grega, significa "glorioso, louvado".

Enésio - variante de Enéias.

Engelbert - Engelberthe - de origem germânica, significa "anjo brilhante".

Ênio - de origem hebraica, tem o mesmo significado de Ana.

Enoc - Enoch (ing.) - Enoque - variante de Henoque.

Enos - de origem hebraica, significa "homem".

Enrico - forma italiana de Henrique.

Enrique - variante de Henrique.

Enzo - Enzino - Enzio - variantes italianas de Vincenzo.

Eoin - forma irlandesa de João.

Éolo - de origem grega, significa "deus dos ventos".

Epaminondas - de origem grega, significa "o melhor, o ótimo".

Epicuro - de origem grega, significa "caritativo, bondoso"; filósofo grego fundador do epicurismo.

Epifânio - de origem grega, derivado da palavra epifania, a qual significa "manifestação ou revelação de Deus".

Epitácio - de origem grega, significa "comandante, rápido".

Erasmo - **Erasmus (ing.)** - de origem grega, significa "amável, digno de amor"; diminutivos em inglês: Ras / Rasmus.

Erasto - **Erastus (ing.)** - de origem grega, significa "desejoso de amor, amado"; diminutivos em inglês: Ras / Rastus.

Ercílio - variante de Hercílio.

Ercole - forma italiana de Hércules.

Eriberto - de origem germânica, significa "o brilhante".

Érico - **Eric (ing.)** - **Erich (germ.)** - **Erik (ing.)** - de origem no velho inglês, significa "rico, bravo, poderoso".

Erin - nome poético dado à Irlanda.

Erland - de origem no velho norueguês, significa "estrangeiro".

Erle - **Earl** - de origem no velho inglês, significa "homem nobre".

Erlédio - forma derivada de Erle.

Ermano - **Ermando** - de origem germânica, significa "homem de armas".

Ermelindo - de origem germânica, significa "o escudo do deus Irmin" ou "serpente do deus Irmin".

Ermenegildo - de origem germânica, significa "combatente do deus Ermin".

Ermígio - de origem germânica, significa "combatente forte, guerreiro robusto".

Ermínio - variante de Armíni.

Ermírio - **Ermiro** - de origem germânica, significa "águia famosa".

Ernaldo - variante de Arnaldo.

Ernando - forma espanhola de Fernando.

Ernâni - de origem espanhola e italiana, esse nome vem de Ernando, que é uma variante de Fernando.

Ernestino - variante de Ernesto.

Ernesto - de origem germânica, significa "lutador persistente, sério"; diminutivos ingleses: Ern / Ernie.

Eros - de origem grega, é o nome do deus do amor, que também tem o nome de Cupido.

Errol - de provável origem galesa, significa "sentinela, vigilante". Começou a ser usado a partir do filme de Errol Flynn, sendo apontado como variante de Eryl.

Ervino - Erwin (ing.) - de origem germânica, significa "amigo do exército, amigo da honra"; variante: Orwin.

Eryl - de origem galesa, significa "sentinela, vigilante".

Esaú - de origem hebraica, significa "homem peludo, cabeludo"; irmão gêmeo de Jacó, a quem vendeu o direito da bênção de primogenitura por um prato de sopa de lentilhas.

Escobar - de origem espanhola, nome de uma planta; é o nome de um personagem de Machado de Assis.

Esculápio - de origem grega, era o nome de uma planta e teria sido um grande médico grego.

Esdras - Ezra - de origem hebraica, significa "socorro, auxílio".

Ésio - de origem grega, significa "afortunado, feliz".

Esmeraldino - variante de Esmeralda, ou seja, "da cor verde".

Esmondo - Esmond (ing.) - de origem no velho inglês, significa "proteção divina".

Esperidião - Espiridião - de origem grega, significa "cesto".

Estácio - de origem latina, significa "constante, estável".

Estanislau - de origem eslava, significa "glória do exército". Diminutivos: Estânis / Lau.

Estéban - forma espanhola de Estêvão.

Estefânio - variante de Estéfano / Estêvão.

Estéfano - Estéban (esp.) - Étienne (fr.) - Stefano (it.) - Stephen (ing.) - de origem grega, significa "coroa, diadema".

Estélio - de origem latina, significa "brilhante como as estrelas".

Estênio - de origem grega, significa "força".

Estêvão - mesmo nome que Estéfano.

Etelberto - variante de Adalberto.

Etelvino - de origem germânica, significa "amigo da nobreza".

Ethan - de origem hebraica, significa "firme, seguro".

Etienne - nome francês correspondente a Estêvão.

Ettore - forma italiana para Heitor.

Eucádio - de origem grega, significa "o que existe de bom, de bondade".

Eucário - de origem grega, significa "de boa graça".

Eucaristo - de origem grega, significa "o bom amor, belo amor, bela caridade".

Euclides - de origem grega, significa "famoso, notável, conhecido".

Eudes - **Eude (it.)** - **Odon (fr.)** - variante portuguesa de Odilo.

Eudoro - de origem grega, significa "bom presente, presente valioso".

Eudorico - variante de Odorico.

Eudóxio - de origem grega, significa "de boa reputação, com boa fama".

Eufêmio - de origem grega, significa "bem falante".

Eufrásio - de origem grega, significa "alegria".

Eufrosino - de origem grega, significa "alegre, jovial, contente, satisfeito".

Eugênio - **Eugen (germ.)** - **Eugene (ing.)** - **Eugène (fr.)** - de origem grega, significa "de origem nobre, de boa estirpe". Diminutivos: Gene / Gênio.

Eulálio - de origem grega, significa "que fala bem, bom orador".

Êuler - de origem germânica, significa "oleiro".

Eulino - variante de Eolina, referente a Éolos, deus dos ventos; ou, conforme outros, significa "de boa estirpe".

Eumênides - de origem grega, significa "benigno".

Eunísio - de origem grega, "que é levado bem, suavemente".

Eurico - de origem germânica, significa "senhor, príncipe".

Eurig - **Euros** - de origem galesa, significa "ouro".

Eurípides - de origem grega, significa "de ampla justiça".

Eusébio - de origem grega, significa "pio, religioso".

Eustáquio - **Eustace (ing.)** - **Eustache (fr.)** - **Eustachio (it.)** - de origem latina, significa "cheio de espigas, fértil".

Eutimo - de origem grega, significa "benévolo, bondoso"; variante: Eutímio.

Euvaldo - de origem germânica, significa "corajoso para obter o cumprimento da lei".

Evaldo - de origem germânica, significa "aquele que governa pela lei".

Evan - de origem céltica, significa "jovem guerreiro".

Evandro - de origem grega, significa "benfeitor, homem bom, valente".

Evanir - variante masculina de Eva.

Evaristo - de origem grega, significa "bom, nobre, excelente".

Everaldo - **Everard (ing.)** - **Everardo** - variante de Eberaldo; diminutivo: Everaldino.

Evilásio - de origem grega, significa "clemente, benigno".

Evódio - de origem grega, significa "boa jornada".

Expedito - de origem latina, significa "pronto, expedito, preparado".

Ezequias - de origem hebraica, significa "força de Deus, minha força Javé".

Ezequiel - de origem hebraica, significa "força de Deus".

Ézio - **Aécio** - de origem grega, significa "águia".

Ezra - de origem hebraica, significa "socorro, auxílio".

Ewan - **Ewen** - formas, no gaélico-escocês e irlandês, de Owen; forma escocesa de Eugênio, variante: Euan.

Ewart - **Ewert** - no velho francês, variante de Eduardo.

f

Fáber - **Fabre** - de origem latina, significa "artesão, artífice".

Fabiano - variante de Fábio.

Fábio - **Fabian (ing.)** - **Fabião** - **Fabien (fr.)** - **Fabius (lat.)** - de origem latina, significa "fava, plantador de favas".

Fabre - de origem latina, significa "ferreiro, artesão".

Fabrício - **Fabrice (fr.)** - **Fabricius (lat.)** - **Fabrizio (it.)** - derivado de Fáber.

Fádel - de origem árabe, significa "virtuoso".

Faiçal - de origem árabe, significa "espada que corta muito bem".

Fairley - **Fairlie** - de origem no velho inglês, significa "plantação de samambaias".

Fanny - forma diminutiva para os nomes italianos Francesco / Stefano.

Fárah - de origem árabe, significa "alegria, prazer".

Fares - de origem árabe, significa "cavaleiro".

Farid - de origem árabe, significa "único, sem igual".

Fáruk - de origem árabe, significa "severo, rigoroso".

Faustiniano - variante de Fausto.

Faustino - diminutivo de Fausto.

Fausto - de origem latina, significa "feliz, faustoso, ditoso".

Fáuzi - de origem árabe, significa "vencedor".

Favor - **Favour** - de origem latina, significa "um ato de boa vontade".

Fázio - forma diminutiva italiana para Bonifácio.

Febo - de origem grega, significa "o sol, radiante".

Fedelino - forma italiana para Fidélis.

Federico - Federigo - formas espanhola e italiana de Frederico.

Fedro - de origem grega, significa "brilhante, sereno, jovial"; nome de um grande escritor de fábulas, residente na antiga Roma.

Feliciano - variante de Felício.

Felício - Félicie (fr.) - Felicien - de origem latina, significa "feliz, venturoso, cheio de felicidade".

Felícito - forma masculina para Felicidade.

Felipe - variante de Filipe.

Felisberto - de origem germânica, significa "muito ilustre".

Felisbino - variante Filisbino, forma variante de Felismino.

Felismino - de origem latina, é um superlativo de feliz; "muito feliz".

Félix - de origem latina, significa "feliz, ditoso, venturoso".

Felizardo - variante de Félix.

Felten - variante de Valentino.

Feodor - forma para Teodoro.

Ferd - Ferdy - variantes de Ferdinando.

Ferdinando - Ferdinand (ing.) - de origem germânica, significa "protetor corajoso"; em outra versão, "ousado para a paz". Diminutivos ingleses: Ferd / Ferdy.

Fergie - forma diminutiva do nome inglês Fergal, significando "homem de força".

Férgus - de origem no gaélico escocês e irlandês, significa "homem vigoroso". Diminutivos: Fergie / Fergy.

Fermino - Fermin (esp.) - de origem latina, significa "firme, seguro, constante".

Fernán - forma reduzida espanhola de Fernando / Hernán.

Fernandino - diminutivo de Fernando.

Fernando - de origem germânica, significa "inteligente, protetor ousado, valente"; diminutivo: Nando.

Fernão - variante antiga lusa de Fernando.

Ferruccio - nome de origem italiana, significa "um pequeno pedaço de ferro".

Festo - de origem latina, significa "feliz, contente".

Fidel - Fedele (it.) - de origem latina, significa "fiel, justo, sincero".

Fidelino - variante de Fidel.

Fioravante - de origem italiana, pode significar "a flor que está na frente" ou derivar do nome familiar Fioravânti.

Fiorelo - **Fiorello** - de origem italiana, significa "florzinha, enfeite, pequena obra de caridade, um ato de amor". Variante: Fiorillo.

Fiorindo - variante masculina de Flora.

Firmino - de origem latina, uma forma variante de Firmo.

Firmo - de origem latina, significa "firme, seguro, inabalável".

Firpo - variante de Filippo.

Fitzgerald - de origem no velho francês, significa "filho de Geraldo"; diminutivo: Fitz.

Fiúza - de origem latina, significa "confiança".

Flamínio - de origem latina, significa "sacerdote, sopro".

Flann - de origem no gaélico-irlandês, significa "cabelo vermelho, ruivo".

Flaviano - variante de Flávio.

Flávio - **Flavius (lat.)** - de origem latina, significa "louro, de cabelos dourados".

Fletcher - com origem no velho inglês, significa "fabricante de flechas".

Floberto - de origem germânica, significa "prudente, ajuizado".

Flodoaldo - de origem germânica, significa "aquele que governa".

Florêncio - **Florence** - **Florenzo** - de origem latina, significa "que floresce, florescente, que está a florir".

Florenço - variante de Florêncio.

Florentino - de origem latina, é uma forma diminutiva de flor.

Floriano - **Florian (ing.)** - **Florián (esp.)** - de origem latina, significa "próprio da flor, derivado de flor".

Flórido - **Florindo** - variantes masculinas de Flora.

Florindo - de origem latina, significa "que está para florescer, florescente".

Floripe - de origem germânica, significa "alegre, divertido".

Florisbelo - combinação dos nomes Flor e Bello.

Florismundo - de origem no sentido popular, "mundo das flores"; para os eruditos de origem germânica, significa "proteção do bom senso".

Florisval - de origem latina, significa "vale cheio de flores". Variante: Florival.

Foma - variante de Tomás / Tomaso.

Forrest - **Forrestt** - com origem no velho francês, significa "floresta".

Fortunato - de origem latina, significa "com sorte, felizardo, afortunado".

Fosco - **Foscarino** - **Fóscaro** - **Foscolo** - de origem italiana, significa "escuro, opaco, enegrecido, que dificulta a passagem da luz".

Fradique - variante de Frederico, personagem celebrizada por Eça de Queirós.

Fran - forma diminutiva inglesa de Frances / Francis / Francisco.

Francelino - diminutivo de Francisco; outra variante: Francino.

Frances - **Frâncis** - formas inglesas para Francisco; formas diminutivas: Fanny / Fran / Francie.

Francesco - forma italiana para Francisco.

Francisco - **Francesco (it.)** - **Francis (ing.)** - de origem latina, significa "francês"; nome celebrizado por São Francisco de Assis no século XIII. Diminutivos: Chico / Cisco / Fran / Frâncis; diminutivo espanhol: Paco.

Franco - de origem no francês arcaico, significa "homem livre, liberto, não escravo"; diminutivo italiano: Franchino.

François - forma francesa para Francisco.

Frank - **Franco** - com origem no velho francês, significa "homem liberto, livre". Diminutivo de Francisco; outros diminutivos: Frankie / Franky.

Frânklin - **Franklyn (ing.)** - de origem inglesa, significa "dono de uma propriedade não penhorada".

Frans - forma sueca para Francisco.

Franz - **Franciscus** - formas germânicas para Francisco.

Frayn - **Frayne** - de origem no velho francês, significa "freixo (árvore comum na Europa)".

Frederico - **Federico (esp./it.)** - **Frédéric (fr.)** - **Frederick (ing.)** - de origem germânica, significa "governante, príncipe da paz; com muita paz". Diminutivos em inglês: Fred / Freddie / Freddy; em português: Frédi / Fredo / Rico.

Frediano - de origem germânica, significa "pacífico, calmo"; forma variante de Frederico.

Fredo - variante de Alfredo / Godofredo / Goffredo.

Fredulfo - de origem germânica, significa "lobo que protege".

Frenzel - de origem germânica, derivação de Francisco / Franz.

Fridolino - de origem germânica, significa "homem pacífico". Variante: Fridolindo; diminutivos: Frido / Lino.

Fritz - forma diminutiva inglesa de Frederico, do alemão Sigfried.

Frontino - de origem latina, "que está na frente".

Frutuoso - de origem latina, significa "cheio de frutos".

Fuad - de origem árabe, significa "coração".

Fulgêncio - de origem latina, significa "fulgente, brilhante, luminoso".

Fulton - de origem no velho inglês, significa "lugar barrento, local confuso".

Fulviano - variante de Fúlvio.

Fúlvio - forma masculina de Fúlvia.

Fyfe - **Fyffe** - de origem inglesa, significa "originário de Fife (península na costa oriental da Escócia)".

g

Gabardo - de origem germânica, significa "generoso ao dar presentes".

Gabe - **Gabri** - formas diminutivas para Gabriel.

Gabino - de origem latina, significa "o natural de Gábios (antiga cidade romana, perto de Roma)".

Gabor - variante masculina reduzida de Gabriela.

Gabriel - **Gabriello (it.)** - de origem hebraica, significa "a força de Deus, mensageiro de Deus, enviado de Deus". Conforme o Evangelho, foi ele quem comunicou a Nossa Senhora que ela seria mãe do filho de Deus, Jesus Cristo. Diminutivos: Gabe / Gabri.

Gad - de origem hebraica, "boa aventura, boa fortuna, sorte".

Gaddo - variante italiana de Geraldo.

Gaetano - variante de Caetano.

Gaio - **Gaius (lat.)** - de origem latina, significa "feliz".

Galdino - de origem germânica, significa "dominador, dono".

Galeb - de origem árabe, significa "vencedor".

Galeno - de origem grega, significa "pequeno ilustre".

Galério - de origem latina, significa "chapéu, peruca, cobertura para a cabeça".

Galfredo - de origem germânica, significa "elegante, galante".

Galiano - de origem latina, significa "natural da Gália (nome antigo da atual França)".

Galileu - de origem hebraica, significa "região, natural da Galiléia". Galileu Galilei foi um grande cientista e astrônomo do século XVI.

Galindo - de origem germânica, significa "divertida serpente".

Galvin - de origem no gaélico-irlandês, significa "brilhante, branco, luzente".

Gamaliel - de origem hebraica, significa "minha recompensa é Deus"; doutor da lei muito sábio, aos tempos de Jesus Cristo.

Gandolfo - variante de Gandulfo; de origem germânica, significa "o que vai com o lobo".

Garcindo - variante de Gracindo.

Gareth - de origem galesa, significa "homem velho"; diminutivos: Gary / Garry / Garth.

Garfield - de origem no velho inglês, significa "peça triangular em um local aberto".

Garib - de origem árabe, significa "excêntrico, extravagante, romântico".

Garibaldi - sobrenome de origem italiana; usado como nome, significa "ousado, valente, intrépido".

Garry - **Gary** - de origem no celta, significa "rude, violento, grosseiro".

Gaspar - **Gáspero** - de origem persa, significa "administrador do tesouro"; nome de um dos três reis magos que foi visitar o menino Jesus em Belém.

Gasparino - **Gasperino** - formas diminutivas para Gaspar. Outro diminutivo: Gasparzinho.

Gastão - **Gaston (fr.)** - **Gastone (it.)** - de origem germânica, significa "hospitaleiro, hospedador".

Gaudêncio - **Gaudênzio** - de origem latina, significa "gozador, que se diverte".

Gautier - **Gauthier** - forma masculina francesa para Walter.

Gavin - **Gawain** - de origem galesa, significa "pequeno falcão".

Gaynor - forma do inglês medieval para Guinevere.

Gedeão - de origem hebraica, significa "espadachim, lutador, valente".

Gelardo - variante de Geraldo.

Gelásio - de origem grega, significa "sorridente".

Geli - **Gely** - forma reduzida de Geliard / Gilles.

Geliard - variante de Giles / Gilles.

Gelmino - variante italiana para Guglielmo / Guilherme.

Gelmiro - de origem germânica, significa "alegre e famoso".

Gelso - forma italiana para jasmim.

Gelsino - de origem italiana, significa "jasmim, gardênia".

Gelsomino - forma italiana de Gardênia / Jasmim.

Gelúcio - variante diminutiva italiana de Gilles.

Geminiano - de origem latina, significa "próprio dos gêmeos".

Gemiro - variante masculina de Zelmira.

Genaro - **Gennarino** - **Gennaro** - de origem italiana, nome napolitano; variante: Januário.

Generoso - de origem latina, significa "nobre, corajoso".

Genésio - de origem latina, significa "gerador, protetor da família, levantado, firme".

Genival - de origem germânica, significa "senhor de uma cidade".

Genivaldo - variante de Genival.

Genserico - nome de um dos reis dos vândalos.

Genuíno - de origem latina, significa "legítimo, verdadeiro".

Genulfo - de origem germânica, significa "com raça, com estirpe".

Geoffrey - **Geoffroi (fr.)** - **Goffredo (it.)** - de origem no velho alemão, significa "boa paz" ou "paz no distrito". Diminutivos: Geoff / Jeff.

George - **Georg (germ.)** - **Giorgio (it.)** - forma inglesa de Jorge.

Geovandro - de origem greco-germânica, significa "peregrino da terra, peregrino".

Geraldino - variante de Geraldo.

Geraldo - **Gerhold (germ.)** - de origem germânica, significa "forte na lança, valente no uso da lança".

Gerard - **Gérard (fr.)** - **Gerardo** - **Gerhard (germ.)** - de origem no velho alemão, significa "lança firme, forte na lança"; forma de Geraldo. Variantes inglesas: Garrard / Garratt / Gerrard; formas diminutivas em inglês: Gerrie / Gerry / Jerry (este é usado em português como nome independente).

Gercino - variante de Guercino.

Geremia - forma italiana para Jeremias.

Germano - **Germain (ing./ fr.)** - **Germaine (ing.)** - **Jermaine (ing.)** - de origem latina, significa "irmão, irmão legítimo por parte de pai e mãe".

Gerôncio - de origem latina, significa "o velho".

Gerônimo - **Gerolamo** - formas italianas para Jerônimo.

Gérson - Gershom (ing.) - de origem hebraica, significa "exilado, peregrino, estrangeiro".

Gerulino - Girolino - forma diminutiva italiana de Girolamo.

Gervásio - Gervas (germ.) - Gervais (fr.) - Gervase (ing.) - Gervasius (lat.) - de origem germânica, significa "lutador poderoso com a lança, bom na lança".

Gervino - variante de Guervino.

Gesù - forma italiana para Jesus.

Gesualdo - de origem germânica, significa "o refém do rei".

Gesuè - Giosué - formas italianas para Josué.

Gethin - de origem galesa, significa "obscuro, opaco, escurecido".

Getúlio - de origem fenícia ou semítica, significa "povo adorador de Baal". Pelo latim, é procedente de Getúlio, região do norte da África.

Giacinto - forma italiana para Jacinto.

Giacomo - Giacobbe - formas italianas para Jacó.

Gian - Gianni - formas diminutivas italianas de Giovanni / João.

Giancarlo - forma italiana para João Carlos.

Gianfranco - forma italiana para João Franco.

Gianni - Giannino - formas diminutivas italianas de Giovanni.

Gianpaolo - forma italiana para João Paulo.

Gíbson - de origem no velho inglês, significa "filho de Gilberto".

Gideon - de origem hebraica, significa "destruidor".

Gigi - forma diminutiva francesa para Luigi.

Gil - Giles (esp.) - de origem no velho francês, significa "cheio de juventude"; também serve, no inglês, como formas diminutivas de Gilbert / Gilchrist / Giles.

Gilberto - Gilbert (ing.) - de origem germânica, significa "prisioneiro de guerra famoso", "conhecido" ou "amarelo brilhante". Forma diminutiva inglesa: Gil; diminutivos em português: Beto / Gil.

Gilchrist - de origem no gaélico-escocês, significa "servo de Cristo".

Gildo - de origem germânica, significa "sacrifício".

Giles - de origem grega, significa "cabrito, carne de cabrito".

Gilmar - de origem germânica, significa "brilhante na espada".

Gilmore - Gilmour - de origem no gaélico-escocês, significa "servo de Santa Maria".

Gílson - de formação inglesa, significa "filho de Gil, filho de Gilberto".

Ginez - abreviação espanhola de Genésio.

Gino - abreviação italiana, formada a partir do diminutivo de vários nomes, tais como Luigino e Lodovico.

Gioachino - Joachim (ing.) - formas italianas de Joaquim.

Giorgio - forma italiana de Jorge.

Giovanni - forma italiana de João; formas diminutivas: Gian / Gianni.

Gionei - possível variante de Gianni / Giovanni.

Giordano - nome italiano para o português Jordão.

Giraldo - forma italiana de Geraldo.

Giraud - Girauld - formas francesas de Geraldo.

Girolamo - forma italiana para Jerônimo.

Giuliano - forma italiana para Juliano.

Giulio - forma italiana para Júlio.

Giuseppe - forma italiana para José; formas reduzidas em italiano: Beppe / Beppo / Giusi / Pippo.

Gláuber - de origem germânica, significa "aquele que acredita".

Glauco - de origem latina, significa "verde-azulado, da cor do mar verde-azul".

Glauro - variante de Glauco.

Glênio - Glen (ing.) - Glenn (ing.) - de origem céltica, significa "vale".

Glicério - de origem grega, significa "doce, suave, amável, bondoso".

Glorivaldo - variante formada pela junção de Glória com Valdo.

Godardo - Godard - Godahard - variantes de Gotardo.

Godofredo - Godfrey - Gofredo - de origem germânica, significa "paz de Deus".

Goduíno - Godwin - de origem no velho inglês, significa "amigo de Deus".

Goldwin - de origem no velho inglês, significa "amigo do ouro".

Golias - Goliath, de origem hebraica, significa "poderoso guerreiro".

Gonçalo - **Gonzalo** - de origem germânica, significa "elfo da guerra, salvo da guerra".

Gondolfo - de origem germânica, significa "lobo de guerra".

Górki - de origem russa, significa "amargo".

Gotardo - de origem germânica, significa "forte para Deus".

Gottgried - forma germânica de Godofredo / Godfrey (ing.); forma reduzida: Götz.

Goudard - variante francesa de Gotardo.

Gounod - forma francesa abreviada de Hugounot; forma reduzida: Hugo.

Graciano - de origem latina, é uma derivação de Graça.

Graciliano - variante de Gracílio.

Gracílio - da palavra "graça" ou de "gracilis, fino, delgado".

Gracindo - forma derivada de Graça, com sufixo diverso.

Graco - **Gracchus (lat.)** - de origem latina, significa "gralha".

Graham - **Grahame** - de origem no velho inglês, significa "o lar é um lugar".

Grant - de origem no normando, significa "amplo, largo".

Gratian - variante italiana masculina para Graça / Graciano / Graziano.

Gray - de origem no velho inglês, significa "cabelo cinza"; variante Grey.

Graziano - forma italiana derivada de Graça.

Greg - forma diminutiva de Gregório.

Gregório - **Gregor (esc.)** - **Grégoire (fr.)** - **Gregory (ing.)** - de origem grega, significa "vigilante, cuidadoso". Diminutivos: Goyo / Greg.

Grimaldo - de origem germânica, significa "que governa com o elmo".

Gruffydd - de origem galesa, significa "poderoso chefe".

Gualtério - forma espanhola de Walter.

Gualtieri - forma italiana de Walter.

Gualberto - de origem germânica, significa "ilustre no poder".

Gualdino - variante de Galdino.

Guálter - **Gualtério** - forma aportuguesada de Walter.

MENINOS

Guarani - de origem tupi-guarani, significa "guerreiro, lutador".

Guercino - de origem italiana, significa "estrábico, vesgo".

Guerino - **Guerrino** - de origem germânica, significa "defensor". Variante: Guérin.

Gugliemo - forma italiana de Guilherme / Wílliam.

Guido - de origem germânica, significa "bosque, mato".

Guilbert - variante inglesa de Gilbert.

Guilherme - **Guglielmo (it.)** - **Guillaume (fr.)** - **Guillelmo (esp.)** - **Guillermo (esp.)** - **William (ing.)** - de origem germânica, significa "protetor, defensor"; diminutivo: Gui.

Guilhermino - forma diminutiva de Guilherme.

Guilmar - variante de Gilmar.

Gumercindo - de origem germânica, significa "homem poderoso, homem forte".

Gúnnar - forma sueca de Gúnter.

Gúnter - de origem germânica, significa "exército de guerra".

Günther - forma germânica de Gúnter.

Gurgel - de origem germânica, significa "garganta".

Gus - forma diminutiva inglesa de Angus / Augustus / Gustave.

Gusmano - variante de Cosmo, Cosimo em italiano.

Gusmão - de origem germânica, significa "homem de bem".

Gustaf - forma sueca de Gustavo.

Gustavo - **Gustave (ing.)** - de origem sueca, significa "cetro do rei, bastão de Deus".

Guy - **Gui** - de origem germânico-francesa, significa "guia, líder"; forma reduzida de Guido.

Guyon - forma francesa de Guy.

Gwynfor - de origem galesa, significa "belo senhor".

Gyles - variante de Giles.

h

MENINOS

Habacuc - **Habacuque** - de origem hebraica, significa "abraço".

Habib - de origem árabe, significa "amado, querido, estimado".

Hackett - de origem no velho norueguês, significa "pequeno lenhador".

Haddad - de origem árabe, significa "ferreiro".

Haddan - **Hadden** - **Haddon** - de origem no velho inglês, significa "colina, colina silvestre".

Hademar - de origem germânica, significa "brilho da guerra". Variantes: Ademar / Ademaro.

Hademílton - junção dos nomes Hade com Mílton.

Hadriano - **Hadrian** - variantes de Adriano.

Háfez - de origem árabe, significa "conservador".

Hagan - de origem no gaélico-irlandês, significa "jovem Hugo"; do germânico, significa "espinheiro" ou "cerca de espinheiros".

Hagen - com origem no velho alemão, significa "floresta".

Hal - forma diminutiva masculina inglesa de Halbert / Henry.

Halbert - com origem no velho inglês, significa "herói brilhante". Forma diminutiva: Hal.

Haley - variante de Hayley.

Halford - com origem no velho inglês, significa "passo em desfiladeiro".

Hálim - de origem árabe, significa "suave".

Halton - com origem no velho inglês, significa "vigia da colina, sentinela da colina".

Hamad - **Hamed** - **Hamede** - de origem árabe, significa "louvado, elogiado".

Hamar - com origem no velho norueguês, significa "homem forte".

Hamílcar - de origem fenícia, significa "graça de Hércules". Famoso na História, pois foi o pai de Aníbal, o cartaginês.

Hamílton - de origem no velho inglês, significa "fazenda fortificada, local protegido".

Hamish - forma gaélica escocesa para James.

Hamlet - **Hamlett** - de origem germânica, significa "homem pequeno, baixote".

Hamon - **Haimo** - **Hammond** - com origem no velho inglês, significa "grande proteção".

Hank - forma diminutiva de Henry / Henrique.

Hanibal - **Anibal** - de origem fenícia, significa "presente, dádiva, graça".

Haniel - de origem hebraica, significa "Deus é minha graça".

Hans - forma diminutiva germânica de Johann / Joãozinho.

Hansel - de origem escandinava, significa "presente de Deus".

Haraldo - variante de Haroldo.

Harbert - variante de Herbert.

Hardie - **Hardey** - formas variantes de Hardy.

Hardy - de origem germânica, significa "corajoso e valente, ousado".

Hargrave - **Hargreave** - **Hargreaves** - com origem no velho inglês, significa "lebre do bosque".

Harley - com origem no velho inglês, significa "proveniente da colina".

Haro - de origem espanhola, nome de uma cidade da Biscaia; também usado como diminutivo de Haroldo.

Haroldo - **Harold (ing.)** - com origem no velho inglês, significa "campeão, o comandante do exército".

Harpagão - de origem grega, significa "avaro, avarento, sovina". Personagem de Molière na obra O Avarento.

Harrison - de origem inglesa, significa "filho de Harry".

Harry - forma inglesa diminutiva de Henry.

Hart - com origem no velho inglês, significa "cervo valente".

Hartmut - de origem germânica, significa "o que tem ânimo forte, caráter forte".

Harvey - **Harvie** - com origem no gaélico bretão, significa "batalha violenta".

Hasdrúbal - variante de Asdrúbal.

Hassan - de origem árabe, significa "bonito, bondoso".

Hattie - **Hatty** - formas diminutivas de Henri.

Havelock - variante inglesa de Oliver.

Hayden - **Haydon** - com origem no velho inglês, significa "forno da colina" ou "monte de feno".

Hazael - de origem hebraica, significa "Deus viu".

Hazel - com origem no velho inglês, é o nome de uma árvore.

Haziel - de origem hebraica, significa "Deus é minha visão".

Héctor - forma espanhola de Heitor.

Hédi - de origem grega, significa "doce, suave".

Hedwig - **Hedvig** - de origem germânica, significa "luta, guerra".

Hefin - de origem galesa, significa "estival, referente ao verão".

Heine - **Hayn** - formas reduzidas de Henrique.

Heinrich - forma germânica de Henrique; formas diminutivas: Heinz / Heinze.

Heinz - forma germânica de Henrique.

Heise - de origem germânica, significa "poderoso chefe contra os pagãos".

Heitor - de origem grega, significa "mantenedor da vitória". Homero narra na Ilíada as bravuras de Heitor, grande herói da cidade de Tróia.

Heládio - de origem grega, significa "helênico, grego".

Helberto - forma variante de Herberto.

Hélcio - de origem latina, significa "barbante, corda para puxar algo"; variante: Élcio.

Hélder - de origem germânica, significa "forte, rijo"; variante: Élder.

Heleno - **Helênio** - variantes masculinas de Helena.

Helianto - de origem grega, significa "flor do Sol".

Hélio - de origem grega, significa "Sol; o deus Sol".

Heliodoro - de origem grega, significa "presente do Sol; dádiva do deus Sol".

MENINOS

Heliomar - de origem grega e germânica, significa "sol brilhante, sol forte". Variante: Eliomar.

Helmuth - de origem germânica, significa "alegre proteção".

Helvécio - de origem latina, significa "suíço, natural da Suíça".

Helvídio - de origem latina, significa "pardo, escuro, castanho".

Helvino - variante de Helvídio.

Hélvio - de origem latina, significa "pardo, castanho, escuro".

Hemetério - de origem grega, significa "nosso, da nossa pátria".

Hendrik - forma holandesa de Henrique.

Henoc - **Henoque** - de origem hebraica, significa "iniciado, ungido, consagrado".

Henri - forma francesa para Henrique.

Henry - forma inglesa para Henrique.

Henrique - **Arrigo (it.)** - **Enrico (it.)** - de origem germânica, significa "senhor da fortaleza, poderoso". Muitos reis usaram esse nome, tornando-o bastante conhecido.

Héracles - de origem grega, significa "filho de Hera"; variante de Hércules.

Heráclides - variante de Hércules.

Heráclio - de origem grega, significa "famoso como a deusa Hera".

Heráclito - de origem grega, significa "protegido por Hércules".

Herádio - variante surgida através do nome Hera.

Heraldo - variante de Haroldo.

Herão - de origem grega, significa "herói" ou, até, relativo à deusa Hera.

Herberto - **Herbert (ing.)** - **Heribert (germ.)** - com origem no velho inglês, significa "exército brilhante". Variantes: Ariberto / Eriberto / Harbert / Herb / Hérbie.

Hercílio - variante de Hersílio.

Herculano - de origem latina, significa "próprio de Hércules — antiga cidade romana, destruída pela erupção do vulcão Vesúvio (70 d.C.)".

Hércules - de origem grega, significa "aquele que fecha, que cerca". Era um semideus, filho de Júpiter e Almena, herói mitológico com uma força física descomunal.

Heri - de origem hebraica, significa "sentinela, vigilante".

Heribaldo - de origem no velho inglês, significa "guerreiro, defensor da guerra".

Heriberto - **Herbert (germ.)** - **Heribert (germ.)** - de origem germânica, significa "brilhante, ilustre".

Hermano - **Ermanno (it.)** - **Herman (germ.)** - de origem germânica, significa "guerreiro".

Hermenegildo - de origem germânica, significa "aquele que faz sacrifícios aos deuses"; variante: Ermenegildo.

Hermes - de origem grega, era o deus mensageiro de Zeus e passa a ideia de mensageiro; em latim, é chamado de Mercúrio.

Hermeto - de origem latina, significa "fechado, interiorizado".

Hermínio - **Armínio** - **Hermino** - variantes de Hermes.

Hermógenes - de origem grega, significa "filho gerado por Hermes, o filho de Hermes".

Hernán - forma abreviada espanhola de Hernando / Fernando.

Hernando - forma espanhola para Fernando / Ferdinando.

Hernâni - variante de Ernâni, forma derivada de Hernán (esp.).

Herodes - de origem hebraica, significa "dragão de fogo"; do grego, "descendente de heróis".

Heródoto - de origem grega, significa "presente de Hera". Foi um grande historiador grego.

Heron - de origem grega, significa "herói".

Herondino - variante de Hirundino.

Herrick - de origem no velho norueguês, significa "poderoso exército".

Hersílio - de origem grega, significa "orvalho, másculo, viril"; do latim, "divindade da mocidade"; variante: Hercílio.

Herweg - de origem germânica, significa "o que combate no exército".

Hesíodo - de origem grega, significa "a voz mandada, a voz irradiada".

Hespério - **Hespérus** - de origem grega, nome alternativo de Vênus; significa "ocidental".

Hetty - forma diminutiva de Enrico.

Hew - variante diminutiva, no galês, de Hugo.

Hezequiah - de origem hebraica, significa "a força de Deus". Variante: Ezequias.

Hick - forma reduzida no inglês de Richard.

Hiero - de origem grega, significa "sagrado, sacro".

Higino - de origem grega, significa "saudável, salutar".

Hilarino - de origem latina, significa "alegre, jovial"; variante de Hilário.

Hilário - **Hilaire (fr.)** - **Ilario (it.)** - de origem latina, significa "jovial, alegre".

Hildeberto - de origem céltica, significa "grande senhor".

Hildebrando - **Hildebrand (germ.)** - de origem germânica, significa "espadachim, espada de combate".

Hildefonso - de origem germânica, significa "pronto para o combate".

Hildegar - **Hildegardo** - de origem germânica, significa "lança de combate, lança da guerra".

Hildemar - de origem germânica, significa "famoso na guerra".

Hilmar - forma reduzida de Hildemar. De origem germânica, significa "aquele que combate com escudo".

Hílton - com origem no velho inglês, significa "procedente da colina da fazenda, do monte". Variante inglesa: Hylton.

Hiparcos - de origem grega, significa "chefe dos cavalos para a guerra".

Hipócrates - de origem grega, significa "que tem a força do cavalo".

Hipólito - **Ipolito (it.)** - de origem grega, significa "aquele que tira, que solta cavalos".

Hiram - de origem hebraica, significa "meu irmão é excelente" ou "irmão de quem é exaltado"; variantes inglesas: Hi / Hyram.

Hiroíto - de origem japonesa, significa "homem grande"; nome de um imperador nipônico.

Hirundino - de origem latina, significa "o que é próprio da andorinha".

Hob - **Hobby** - diminutivos para Roberto.

Hodge - variante inglesa de Roger.

Hollis - com origem no velho inglês, significa "morador vizinho de plantas sagradas".

Holmes - de origem no velho inglês, significa "uma ilha em um rio".

Homero - de origem grega, significa "cego, aquele que não vê". Nome do provável poeta que teria escrito Odisséia e Ilíada.

Honorato - **Honoré (fr.)** - **Onorato (it.)** - de origem latina, significa "digno de todas as honras, honrado".

Honorino - **Onorino (it.)** - do latim, é o deus da honra; variante de Honório.

Honório - **Honorius (lat.)** - **Onorio (it.)** - de origem latina, significa "aquele que tem honra, respeito, estima, dignidade".

Honour - **Honor** - nome inglês, que, em português, significa "honra, dignidade".

Horácio - **Horace (ing.)** - **Horatius (lat.)** - **Horaz** - **Orazio (it.)** - de origem grega, significa "evidente, claro"; foi o nome de um dos maiores poetas romanos.

Hortênsio - **Hortense (ing.)** - **Ortensio (it.)** - de origem latina, significa "próprio da horta, do jardim"; nome de uma flor de clima mais ameno, como o das montanhas.

Hostílio - de origem latina, significa "rival, adversário".

Howel - de origem galesa, significa "eminente, sábio, honrado"; variante: Hywel.

Hrywel - de origem galesa, significa "conspícuo, eminente, sábio". Varintes: Owl / Hywel / Hywin.

Huberto - **Hubert (ing.)** - de origem germânica, significa "inteligência brilhante".

Húdson - de origem no velho inglês, significa "filho de Hud" (este, talvez, derivado de Hugo).

Hugo - **Hugh (ing.)** - **Hugues (fr.)** - **Ugo (it.)** - de origem dinamarquesa, significa "pensamento, razão, espírito".

Hugolino - **Ugolino (it.)** - variante de Hugo.

Humberto - **Humbert (ing.)** - **Umberto (it.)** - de origem germânica, significa "guerreiro brilhante".

Humphrey - **Humphry** - com origem no velho inglês, significa "gigante da paz, gigante protetor".

Hunt - **Hunter** - com origem no velho inglês, significa "caçador".

Hur - de origem hebraica, significa "branco, luzente".

Hurley - de origem gaélica, significa "maré".

Hurst - de origem no velho inglês, significa "colina coberta de bosque".

Huxley - com origem no velho inglês, significa "campos do Hugo".

Hyacinth - forma inglesa para Jacinto; flor surgida da morte de um herói grego, que sangrou após ser morto pelo deus Apolo.

Hyde - com origem no velho inglês, significa "medida de terras".

i

MENINOS

Iachino - forma italiana de Jaime / James.
Iacovo - forma italiana de Jacó; variante de Iago.
Iago - variante de Jacó.
Iain - forma gaélica escocesa de João / John.
Iakov - variante de Jacó.
Ian - forma inglesa de Iain.
Iásser - de origem árabe, nome de líderes palestinos.
Ibiá - de origem tupi, significa "ladeira, barranco".
Ibiapaba - de origem tupi, significa "terra de planalto, terra alta, terra desmoronada".
Ibiapina - de origem tupi, significa "terra sem vegetação".
Ibraim - variante árabe do nome Abraão, significa "pai de muitos".
Ícaro - é uma personagem da mitologia grega, filho de Dédalo. Fez asas coladas com cera e voou, mas, como se aproximou muito do sol, a cera das asas derreteu e ele caiu no mar.
Ichabod - de origem hebraica, significa "sem glória".
Ido - de origem germânica, significa "valoroso, guerreiro, jovem forte".
Idalino - variante de Idália; de origem grega, relativo a um monte.
Idálio - refere-se ao monte Idálion, onde havia um templo para Vênus.
Ídris - de origem galesa, significa "soberbo senhor, senhor orgulhoso".
Idonia - de origem latina, significa "suficiente, bastante".
Ieuan - Ifan - formas galesas para João / John. Variantes: Ivã / Iwan.

Ifigênio - **Efigênio** - de origem grega, significa "nascido com poder".

Ignácio - **Ignace (fr.)** - **Ignatius (lat.)** - **Ignatz (germ.)** - **Ignazio (it.)** - de origem latina, significa "fogo forte, fortemente inflamado".

Ígor - de origem russa, significa "filho famoso"; variantes: Ífor / Ívor.

Ike - forma diminutiva inglesa de Isaac.

Ilário - variante de Hilário do italiano e do espanhol.

Ildefonso - variante de Hildefonso.

Immanuel - variante de Emanuel.

Imre - forma húngara para Emeric.

Inácio - **Ignazio (it.)** - de origem latina, significa "fogo, ardente, inflamante"; variante: Ignácio.

Inaldo - variante de Dinaldo.

Indalécio - de origem basca, significa "força"; é um nome tipicamente espanhol.

Inge - forma diminutiva de Ingemar.

Ingemar - de origem norueguesa, foi o famoso filho de Ing. Variantes: Inge / Ingmar.

Ingmar - variante de Ingemar.

Ingo - nome de uma divindade germânica; variantes: Inga / Inge.

Ingomar - de origem germânica, significa "esplendor do deus Ingo".

Ingram - de origem germânica, significa "anjo negro"; do inglês antigo, significa "rio da campina, várzea do rio".

Iñigo - forma espanhola de Inácio / Ignácio / Ignatius (lat.); variante: Nacho.

Inocêncio - **Inocente** - **Innocens (lat.)** - **Innocentius (lat.)** - de origem latina, significa "inocente, sem culpa".

Ioan - variante inglesa de João.

Iolo - **Iolyn** - formas diminutivas de Iorwerth.

Iorwerth - de origem galesa, significa "homem nobre e elegante"; variantes: Iolo / Iolyn.

Ipojucá - de origem tupi, significa "eu mato gente".

Ipólito - variante de Hipólito.

Irineu - de origem grega, significa "homem de paz, pacífico".

Írio - variantes de Irene, assim como Erea e Eiria.

Irvine - **Irving** - de origem céltica, significa "rio verde" ou "rio fresco".

Irwin - com origem no velho inglês, significa "amigo dos javalis".

Isaac - **Isacco (it.)** - **Isaque** - de origem hebraica, significa "ele se ri". Foi filho de Sara e Abraão. Variantes inglesas: Izaak / Ike.

Isaar - de origem hebraica, significa "ele é puro, ele é cândido".

Isadoro - de origem grega, significa "presente de Ísis".

Isaías - **Isaia (it.)** - **Isaiah (ing.)** - de origem hebraica, significa "salvação de Javé".

Isaltino - forma masculina derivada de Isolda.

Isauro - de origem grega, significa "natural da Isáuria (região sita antigamente, onde está hoje a Turquia)". Variante: Isaurino.

Isidoro - **Isidor (germ.)** - **Isidore (ing.)** - de origem grega, significa "presente de Ísis". Variantes: Doro / Ísi.

Isidro - forma espanhola de Isidoro.

Ismael - de origem hebraica, significa "Deus ouve, Deus atende". Foi o filho de Abraão com a escrava Agar, dito, por muitos, como o ancestral de algumas tribos árabes. Variante: Ismail.

Isnar - **Isnardo** - de origem escandinava, significa "forte como o ferro".

Isócrates - de origem grega, significa "força igual".

Isolino - variante masculina de Isolda / Isolita / Izolina.

Israel - de origem hebraica, significa "soldado de Deus, aquele que luta com Deus"; diminutivo inglês: Izzy.

Israfil - nome de um arcanjo que tocará a trombeta no Juízo Final, de acordo com o Corão.

Issa - variante árabe de Jesus.

Issacar - de origem hebraica, significa "assalariado".

Istvan - forma húngara de Estêvão.

Itaboraí - de origem tupi, significa "rio de pedras bonitas".

Italino - variante de Ítalo.

Ítalo - de origem latina, significa "italiano, natural da Itália"; variantes: Italiano / Itálico.

Itamar - de origem hebraica, significa "ilha" ou "região das palmeiras".

Itiberê - de origem tupi, significa "campina de riachos límpidos".

Ivã - Ivan - forma russa de João.
Ivaí - de origem tupi, significa "rio das flechas".
Ivaldo - variante de Ivan / Ivo.
Ivanhoé - Ivano - variantes de Ivan.
Ivar - de origem hebraica, significa "flecheiro, que atira setas".
Ives - de origem germânica, significa "filho de Ivo / Ive"; variante: Yves.
Ivo - Ibo - Iwo - de origem inglesa, significa "vigilante, pronto"; pela origem germânica, "teixo (uma árvore europeia)".
Ivor - de origem norueguesa, significa "arma feita com teixo".
Iwan - forma variante de Ieuan.
Izaak - variante de Isaac.
Izique - variante ucraniana de Issac.

j

MENINOS

Jabal - de origem hebraica, significa "guia".

Jabez - de origem hebraica, significa "aquele que provoca dor, que causa sofrimento".

Jacinto - Giacinto (it.) - Hyacinth (ing.) - Jacinth (ing.) - de origem grega, é o nome de uma planta cujas flores podem ser lilases ou brancas. Denomina também uma pedra preciosa.

Jacir - de origem tupi, significa "abelha da Lua".

Jack - do inglês, é uma forma diminutiva de João / John. Outras formas: Jackie / Jacky.

Jackson - de origem inglesa, significa "filho de Jack".

Jacó - Diego (esp.) - Giacomo (it.) - Jacob - Jacobo (it.) - Jacques (fr.) - Jaime (esp.) - Jaume (esp.) - Santiago (esp.) - de origem hebraica, significa "calcanhar de Deus, lutador, combatente".

Jacobino - variante de Jacó.

Jácomo - forma italiana para Jacó.

Jáder - de origem latina, era o nome de um rio no antigo império romano.

Jáderson - de origem inglesa, significa "filho de Jáder".

Jael - de origem hebraica, significa "cabra grande".

Jafé - Jafet - Japheth (ing.) - de origem hebraica, significa "extensão, dimensão".

Jago - forma inglesa, oriunda da Cornualha, para o nome James / Jaime / Jacó.

Jaguar - de origem tupi, significa "aquele que devora".

Jaguaribe - de origem tupi, significa "rio das onças".

Jaílton - junção dos nomes Jair e Ílton.

Jaime - forma espanhola de Jacó; variante espanhola: Jaume.

MENINOS

Jair - de origem hebraica, significa "despertador, ele desperta".

Jaire - **Jaires** - nome de origem hebraica, citado no Novo Testamento.

Jairo - **Jairus (ing.)** - de origem hebraica, significa "ele será iluminado".

Jáison - **Jáisson** - de origem inglesa, significa "filho de Jai / Jair / Jay".

Jake - forma diminutiva inglesa usada como primeiro nome.

Jamerson - de origem inglesa, significa "filho de James".

James - forma inglesa para Jacó; forma diminutiva: Jamie.

Jamil - de origem árabe, significa "belo, lindo, formoso".

Jamílson - variante de Jamil; significa "filho de Jamil".

Jamir - variante de Jamil.

Jan - forma diminutiva de João / John.

Jandir - variante de Jandira.

Jango - variante hispânica para João. Outras formas: Janjão / Jonjoca.

Jânio - de origem latina, o que se refere ao deus Jano; consoante a mitologia, era o deus das portas.

Jansênio - de origem escandinava, significa "o filho de Jan / João".

Januário - de origem latina, significa "consagrado ao deus Jano". De Jano temos, em português, janeiro.

Jarbas - de origem fenícia, significa "feito nobre pelo deus Baal".

Jardel - de origem francesa, significa "joio" ou "garganta".

Jared - de origem hebraica, significa "servo".

Jarvis - **Jervis** - variante de Gervásio.

Jasão - **Jason (ing.)** - de origem grega, significa "aquele que cura, que sara".

Jasmo - variante masculina para Jasmim.

Jasp - forma variante de Gaspar.

Jásper - forma inglesa, correspondente a Gaspar.

Jataí - de origem tupi, significa "árvore de fruto duro".

Jati - de origem tupi, significa "a abelha de mel delicioso".

Jatir - nome de origem tupi, provavelmente derivado de Jati, usado por Gonçalves Dias no livro Os Timbiras.

Javier - forma espanhola de Xavier.

Jaziel - de origem hebraica, significa "Deus vê, Deus provê".

Jean - forma francesa de João.

Jeancarlo - junção dos nomes Jean com Carlo.

Jeca - variante para José; apelido mais carinhoso, íntimo.

Jedidiah - **Jedidiá** - de origem hebraica, significa "amado pelo Senhor"; diminutivo: Jed.

Jefferson - com origem no inglês velho, significa "filho de Jeffer"; variante inglesa de Godofredo.

Jeffrey - **Jeffery** - de origem germânica, significa "distrito" ou "paz do viajante". Variantes: Geoffrey / Godofredo; diminutivos: Jeff / Jeffi.

Jehu - de origem hebraica, significa "ele deseja viver". Foi um rei de Israel.

Jehudi - de origem hebraica, significa "judeu".

Jem - **Jemmie** - **Jemmy** - formas diminutivas de James.

Jemmy - **Jimmy** - variante de Jacó.

Jens - forma diminutiva de Jensen.

Jensen - de origem dinamarquesa, tem o mesmo significado que Jensênio.

Jeová - de origem hebraica, designa Deus, ou seja, "o ser supremo"; variante: Javé.

Jeremias - **Jeremiah (ing.)** - **Jeremy (ing.)** - de origem hebraica, significa "indicado por Jeová, exaltado por Javé". Formas diminutivas: Jemi / Jerry / Mia.

Jermaine - variante de Germano.

Jerobão - de origem hebraica, significa "o povo de multidão".

Jerônimo - **Girolamo (it.)** - **Jerome (ing.)** - **Jérôme (fr.)** - **Jerónimo (esp.)** - de origem hebraica, significa "nome sagrado, nome santo"; diminutivo: Jerry.

Jerry - **Jerri** - formas diminutivas de nomes ingleses: Gerald / Gerard / Jerome / Jeremy.

Jervis - variante de Jarvis e de Gervásio.

Jessé - **Jesse** - de origem hebraica, significa "rico, forte, cheio de saúde".

Jesuíno - derivado do nome Jesus, referente a Jesus.

Jesus - Gesú (it.) - Joshua (ing.) - de origem hebraica, significa "Deus é minha salvação"; forma diminutiva em inglês: Josh.

Jetro - Jethro - de origem hebraica, significa "superioridade". Foi o sogro de Moisés.

Jeyson - de origem inglesa, significa "filho de Jey".

Jim - Jimmie - Jimmy - formas diminutivas de James.

Jinny - variante inglesa de Virgínia.

Jo - Jô - Jó - Job - de origem hebraica, significa "inimizade, assaltante, agressor". Formas diminutivas de Joab / Joachim / João / Joaquim / José / Josepf.

Joá - de origem hebraica, significa "Javé é irmão".

Joab - de origem hebraica, significa "Javé é o pai dele".

Joaci - Joacir - de origem tupi, significa "sedento".

Joanes - derivado do latim Iohanis.

Joanides - variante de João.

Joanílson - de origem latino-inglesa, significa "filho de João".

Joanino - variante diminutiva de João.

João - Giovanni (it.) - Janos (húng.) - Johan (sueco) - Johann (germ.) - Johannes (lat.) - John (ing.) - Juan (esp.) - de origem hebraica, significa "Deus é misericordioso e tem compaixão". Formas diminutivas em inglês: Jack / Jackie / Jan / Jock / Johnnie / Johny.

Joaquim - Gioachino (it.) - Joachim (ing.) - de origem hebraica, significa "Jeová vai construir, Javé levanta"; nome bíblico, pai de Nossa Senhora. Forma diminutiva: Quincas.

Joas - de origem hebraica, significa "Javé dará apoio".

Joás - de origem hebraica, significa "ousado, valente".

Job - de origem hebraica, significa "aquele que é perseguido"; variante de Jó.

Joca - variante familiar de João e de Juca.

Jocelino - Jucelino - formas brasileiras de Jocelin. Jucelino é um nome famoso, no Brasil, pois houve um presidente com esse nome.

Jociano - variante de José.

Joe - Joey - variantes inglesas para José.

Joeder - variante de Joe.

Joel - de origem hebraica, significa "Javé é Deus".

Joelcir - variante de Joel.

Joélson - de origem inglesa, significa "filho de Joel".

Joffre - **Jofre** - o mesmo que Geoffroi / Godofredo.

Johan - forma sueca para João.

Johann - **Johannes (germ./lat.)** - forma germânica para João. Diminutivo: Hans.

Johnson - de origem inglesa, significa "filho de João".

Joílson - variante de Joel com o sufixo "son" (filho); "filho de Joel".

Jommy - variante de João, através do inglês.

Jonas - **Jonah** - **Jones** - de origem hebraica, significa "pomba, pombo".

Jônatas - **Jonatã** - **Jonathan (ing.)** - **Jonathon (ing.)** - de origem hebraica, significa "dado por Deus, presenteado por Deus".

Jonecir - variante de Joni.

Jonilse - variante de Jonílson.

Jonílson - junção de Joni com o sufixo "son"; "filho de Joni".

Jonivaldo - junção dos nomes Joni com Valdo.

Jordão - **Giordano (it.)** - **Jordan (ing.)** - de origem hebraica, significa "rio que desce"; diminutivos ingleses: Jud / Judd.

Jörg - forma escandinava para Jorge.

Jorge - **George (ing.)** - **Giorgio (it.)** - **Jörg (escand.)** - de origem grega, significa "agricultor".

Jorildo - nome construído a partir da junção de "Jor" com "Ildo".

Josaba - de origem hebraica, significa "Javé é juramento".

Josafá - **Josafat** - de origem hebraica, significa "Deus julga".

José - **Giuseppe (it.)** - **Josef (germ.)** - **Joseph (ing.)** - **Josif** - de origem hebraica, significa "que Deus aumente com outro filho". Formas diminutivas: Jeca / Zé / Zezinho; formas diminutivas espanholas: Pepe / Pepito.

Josefo - **Joselito** - variantes de José.

Josemar - **Jucemar** - junção dos nomes José e Maria.

Josh - forma diminutiva para Joshua, no inglês.

Josias - **Josiah** - de origem hebraica, significa "Deus traz a salvação".

Josué - **Giosué (it.)** - **Joshua (ing.)** - de origem hebraica, significa "Jeová é salvação"; forma diminutiva: Josh.

Jove - nome popular na Roma antiga para Júpiter.

Jovelino - variante de Jovino.

Joviano - de origem latina, significa "consagrado a Júpiter".

Jovino - de origem latina, significa "protegido por Júpiter, dado por Júpiter".

Juan - forma espanhola de João.

Juarez - de origem espanhola, significa "filho de Jorge".

Juca - **Joca** - formas populares diminutivas de José.

Jucilei - variante de Juceli.

Jucundino - de origem latina, significa "agradável, gostoso".

Jud - **Judd** - formas inglesas diminutivas de Jordan.

Judas - **Judah (ing.)** - de origem grega, significa "festejado, celebrado".

Juergen - forma escandinava para Jorge, nome comum entre as pessoas de origem germânica.

Jugurta - nome de um rei da Namíbia, que traiu Anibal e apoiou Cipião na batalha de Zama.

Jules - forma francesa de Júlio.

Juliano - variante de Júlio.

Julião - variante de Júlio / Juliano.

Júlio - **Giulio (it.)** - **Iulius (lat.)** - **Julian (ing.)** - **Julián (esp.)** - de origem latina, significa "cheio de juventude, brilhante, luminoso"; variante inglesa: Jolyon.

Júnior - de origem latina, significa "o mais moço, o mais jovem".

Junípero - de origem latina, é o nome de uma árvore que, entre nós, é denominada zimbro. Foi o nome de um celebrado discípulo de São Francisco de Assis.

Jupira - de origem tupi, significa "alimento".

Júpiter - de origem latina, significa "céu pai"; era o nome do deus chefe entre todos os deuses romanos.

Jurandi - **Jurandir** - de origem tupi, significa "o trazido pela luz do céu".

Jürgen - **Juergen** - forma escandinava de Jorge.

Jurupari - de origem tupi, significa "demônio que fecha a boca dos que dormem".

Jururê - de origem tupi, significa "suplicante".

Juscelino - variante do francês Joscelin.

Justiniano - variante de Justo.

Justino - **Justin (ing.)** - variante de Justo.

Justo - **Iustus (lat.)** - **Justus (ing.)** - de origem latina, significa "justo, aquele que pratica a justiça".

Juvenal - de origem latina, significa "alegre, jovial".

Juvêncio - **Juventino** - de origem latina, significa "jovem, moço".

Juvino - variante de Jovino.

k

MENINOS

Kaled - de origem árabe, significa "imortal".

Kalil - de origem árabe, significa "amigo íntimo".

Kamal - de origem árabe, significa "perfeição".

Kamil - de origem árabe, significa "perfeito".

Kane - do gaélico irlandês, significa "guerreiro".

Karel - forma holandesa e checa para Carlos.

Karan - de origem árabe, significa "generosidade".

Kárim - de origem árabe, significa "generoso".

Karl - forma germânica para Carlos.

Karol - forma polonesa para Carlos.

Kasimir - **Casimiro** - de origem polonesa, significa "paz".

Kaspar - forma germânica de Jásper.

Kassim - nome de origem árabe, comum nas histórias arábicas.

Kavan - variante de Kevan / Kévin.

Kedar - de origem árabe, significa "poderoso, potente".

Kegan - **Keegan** - com origem no gaélico-irlandês, significa "filho de Egan".

Keir - de origem gaélico-escocesa, significa "escuro, moreno".

Keire - **Keyres** - variante de Keir.

Keith - de origem céltica, significa "madeira".

Keld - forma dinamarquesa de Keith.

Kelsey - com origem no velho inglês, significa "vitória".

Kelvin - com origem no gaélico-escocês, é o nome de um rio e significa "rio estreito".

Kemal - variante de Kamal.

Ken - forma diminutiva para nomes ingleses como: Kendall / Kendrick / Kenelm / Kennard / Kennedy / Kenneth.

Kendall - Kendal - Kendell - com origem no velho inglês, significa "vale do rio sagrado".

Kendrick - de origem galesa, significa "herói". Variante: Kenrick; forma reduzida: Ken.

Kennard - de origem germânica, significa "força real". Forma reduzida: Ken.

Kennedy - de origem gaélica, significa "com capacete" ou "cabeça feia".

Kennet - forma escandinava para Kenneth; formas reduzidas: Ken / Kent.

Kenneth - de origem gaélica, significa "elegante"; formas reduzidas: Ken / Kenie / Kenny.

Kermit - de origem no gaélico-irlandês, significa "filho de Diarmid".

Kern - de origem gaélica, significa "alguém escuro, negro".

Kéri - variante de Kerry.

Kerry - é o nome do condado irlandês.

Kévin - Kevan - com origem no gaélico-irlandês, significa "amado, gracioso, agradável".

Kidd - de origem inglesa, significa "bando de cabras".

Kieran - de origem céltica, significa "escuro, negro"; variantes: Kieren / Kieron.

King - com origem no velho inglês, significa "rei".

Kingston - com origem no velho inglês, significa "fazenda do rei".

Kinsey - com origem no velho inglês, significa "vencedor real".

Kirby - de origem norueguesa, significa "igreja da vila" ou "fazenda da vila".

Kirk - com origem no velho norueguês, significa "vizinho da igreja".

Klaus - variante de Claus, forma diminutiva de Nicolau.

Kléber - de origem germânica, significa "encadernador"; do polonês, significa "padeiro".

Kléberson - forma de Kléber com o sufixo "son" (filho); "filho de Kléber".

Klemens - forma germânica para Clemente.

Knut - forma variante de Canuto.

Konrad - forma germânica e sueca de Conrado.
Konstanz - forma germânica para Constâncio.
Kris - forma reduzida de Kristoffer / Kristopher.
Kristian - forma sueca de Christiano / Cristiano.
Kristoffer - forma escandinava de Cristhopher / Cristóvão.
Kuniz - forma reduzida de Conrado.
Kurt - **Kurz** - variante de Curt, forma diminutiva germânica de Conrado.
Kus - forma reduzida de Domingos.
Kyle - **Kílie** - de origem gaélico-escocesa, significa "estreito".

L

MENINOS

Labão - **Laban (ing.)** - de origem hebraica, significa "branco".

Lacey - com origem no velho francês, significa "vindo do Lassy (região da Normandia, na França)".

Lactâncio - de origem latina, significa "quem lida com leite".

Ladário - de origem latina, significa "ladainha, próprio da ladainha".

Ladislau - **Ladislao (it.)** - **Ladislas (ing.)** - **Laszlo (húng.)** - de origem eslava, significa "governante, dirigente glorioso"; forma carinhosa: Lalao.

Laércio - de origem latina, provém do nome da cidade Laércia (ou Laerte) na Grécia antiga. Tem o mesmo significado de Laerte / Laertes.

Laerte - de origem grega, significa "guarda, salvador do povo".

Laio - de origem grega, significa "tordo (o nome de um pássaro)"; na mitologia grega, foi o pai de Édipo, o rei.

Lair - variante de Laís.

Lalage - de origem greco-latina, significa "conversando, falando".

Lalo - forma reduzida de vários nomes masculinos.

Lamar - de origem germânica, significa "terra famosa".

Lamberto - **Lambert (ing.)** - **Lambrecht (germ.)** - de origem germânica, significa "famoso, conhecido em suas terras".

Lamond - **Lamont** - de origem gaélico-escocesa e/ou norueguesa, significa "o legislador, o que dá leis".

Lance - forma germânica reduzida de Lancelote.

Lancelote - **Lancelot (ing.)** - de origem francesa, significa "pequena lança" ou "guerreiro".

Landelino - composição do nome "land" (terra) e Lino.

Lander - **Landor** - variante masculina de Lavender.

Landoaldo - de origem germânica, significa "aquele que governa a terra, governante do país".

Landolfo - de origem germânica, significa "lobo da terra".

Landulfo - variante de Landolfo.

Laoconte - nome de origem grega, era o sacerdote de Tróia nos tempos da famosa guerra.

Laodâmio - de origem grega, significa "que doma o povo, adestrador do povo".

Larry - forma diminutiva de Laurence / Lawrence.

Lars - forma escandinava de Laurence / Lourenço.

Larsen - **Larson** - de origem escandinava, significa "filho de Lars".

Latham - **Lathom** - de origem no velho norueguês, significa "celeiro".

Latif - de origem árabe, significa "amável, delicado".

Latimer - com origem no velho francês, significa "intérprete".

Latino - de origem latina, denomina quem provém de Lácio, região da Itália central; por extensão, todos os que descendem ou usam de idiomas romanos.

Laudelino - de origem latina, significa "quem merece louvor, quem louva".

Laudemiro - **Laudemir** - de origem latina, significa "digno de admiração e de louvor".

Lauro - de origem latina, significa "louro, o nome de uma planta".

Laureano - **Lauriano** - variantes de Lauro.

Laurence - **Laurens (hol.)** - **Laurent (fr.)** - nome derivado da cidade italiana Laurentium (local de loureiros, na Itália). Variante: Lawrence.

Laurêncio - variante de Laurence / Lourenço.

Laurentino - de origem latina, significa "natural da cidade de Laurento".

Lauriano - **Laurindo** - **Laurino** - variantes de Lauro.

Lauro - de origem latina, significa "loureiro, nome de uma árvore cujas folhas e ramos eram usados pelos gregos e romanos para tecer coroas que coroavam os heróis, os vencedores".

Lavínio - de origem latina, significa "natural de Lavínia (cidade romana)".

Lawrence - forma inglesa de Lourenço. Diminutivos ingleses: Larrye / Lawrie / Lawry.

Lawton - com origem no velho inglês, significa "proveniente de um ponto de uma colina".

Lázaro - Lazarus (ing.) - de origem hebraica, significa "sem ajuda"; variante de nomes bíblicos como Eleazar e Lazar.

Leandrino - forma diminutiva de Leandro.

Leandro - Leander (ing.) - Leandre (fr.) - de origem grega, significa "homem-leão".

Leão - Leo (lat.) - Leone (it.) - de origem latina, é o nome do animal de mesmo nome, belo e feroz.

Leduíno - variante de Ludovico, do italiano Liduino.

Lee - do velho inglês, significa "campo ou campina, várzea, prado". Variantes: Leah / Leigh.

Leírson - de origem inglesa, significa "filho de Lair / Leir".

Lélio - de origem latina, significa "muito falante, tagarela".

Lello - forma reduzida italiana para Gabriel / Raffael.

Lemuel - de origem hebraica, significa "consagrado a Deus".

Len - forma reduzida em inglês para os nomes Lennox / Leonard / Lionel.

Lennard - forma variante de Leonardo.

Lennie - Lenny - Lonnie - formas diminutivas de Lennox / Leonard / Lionel.

Leo - Leon - Leone - formas latinas para Leão e formas reduzidas de Leocádio / Leoberto / Leonardo / Leonir.

Leoberto - junção dos nomes Leo com Alberto, Adalberto ou Berto.

Leocádio - de origem grega, latinizado significa "branco, cândido".

Leodegário - de origem germânica, significa "lança do povo"; variante: Laudegário.

Leofredo - Leufredo - variantes de Lufrido.

Leomir - de origem germânica, significa "célebre na paz".

Leon - forma espanhola para Leão.

Leonardo - Leonard (ing.) - Leonhard (germ.) - de origem germânica, significa "forte como um leão". Variante: Lennard; formas reduzidas: Leo / Len / Lennie / Lenny / Nardo.

Leonato - de origem grega, é variante de Leão.

Leôncio - Leontius (lat./ing.) - variante de Leão.

Leonel - Lionel - forma derivada de Leão através do italiano.

Leonésio - variante de Leão / Leone.

Leonício - variante de Leôncio.

Leônidas - de origem grega, significa "a pessoa que tem aspecto de leão". Foi um rei de Esparta que se tornou conhecido pela bravura que demonstrou na batalha do desfiladeiro das Termópilas.

Leonídio - variante de Leônidas.

Leonildo - de origem germânica, significa "aquele que combate como um leão".

Leonir - variante de Leoni, derivado de Leão / Leone.

Leonito - variante diminutiva de Leão.

Leonor - de origem árabe, significa "o Senhor é minha luz".

Leontino - Leontine - Leontyne (ing.) - variantes de Leão.

Leopoldino - forma diminutiva de Leopoldo.

Leopoldo - Leopold (ing.) - de origem germânica, significa "audacioso como o povo, audacioso para o povo"; formas diminutivas: Leo / Poldo / Poldinho.

Leovigildo - de origem germânica, significa "clemente, misericordioso".

Lépido - de origem latina, significa "alegre, feliz".

Leroy - com origem no velho francês, significa "o rei"; variante Elroy; formas diminutivas: Lee / Roy.

Lester - com origem no velho inglês, significa "proveniente de um local romano".

Leucádio - variante de Leocádio.

Leutgardo - variante de Leodegário.

Lev - forma russa de Leo.

Levi - de origem hebraica, significa "unido, atado, ligado".

Lewis - Luís - de origem germânica, significa "bravo guerreiro". Formas reduzidas: Lew / Lewie.

Lex - forma reduzida inglesa de Alexandre.

Liam - forma irlandesa para Guilherme.

Libânio - de origem latina, significa "vindo do monte Líbano".

Liberato - de origem latina, significa "libertado, livre, liberto".

Libério - de origem latina, significa "livre, libertado".

Libônio - de origem latina, significa "aquele que oferece bolos nos sacrifícios".

Libório - de origem latina, significa "aquele que faz bolos"; "luz do coração".

Lício - de origem grega, significa "luz" ou "lobo".

Licínio - de origem latina, significa "cabelos lisos"; do etrusco, significa "de nariz torto".

Lico - de origem grega, significa "caçador".

Licurgo - de origem grega, significa "caçador de lobos".

Lídio - de origem grega, significa "irmão" ou "natural da Lídia (antigamente região da Ásia Menor, com muitos relatos no Novo Testamento)".

Lidovino - variante de Ludovino.

Liège - nome de uma cidade belga, de origem franca, que significa "povo".

Lincoln - de origem inglesa, significa "colônia do lago, local para o reservatório de água".

Lindolfo - de origem germânica, significa "serpente e lobo".

Lineu - de origem latina, significa "linho" ou "roupa branca".

Lino - Linus (ing.) - de origem grega, significa "o de cabelos loiros".

Lionel - de origem latina, significa "leão novo".

Lírio - nome de uma planta cujas flores são brancas e perfumadas e é símbolo da pureza.

Lisandro - de origem grega, significa "homem remido, libertado".

Lisímaco - de origem grega, significa "árbitro, solucionador de litígios, pacificador".

Lísio - de origem grega, significa "resgatado, redimido".

Lister - com origem no velho inglês, significa "tintureiro".

Lívio - Livius (lat.) - de origem latina, significa "lívido, pálido".

Livino - forma derivada de Lívio.

Lloyd - de origem galesa, significa "cinza, cor cinza".

Ló - Lot - de origem hebraica, significa "véu, cobertura".

Lodegário - variante de Leodegário.

Lodemar - formado com o nome Lodi e o sufixo "mar" (glória).

Loduvino - variante de Ludovino.

Longino - de origem latina, significa "lanceiro".

Lonneke - **Lonneque** - variante diminutiva de Lonny.

Lorcan - de origem gaélico-irlandesa, significa "orgulho, soberba".

Loredano - de origem latina, significa "bosque de louros".

Loreto - de origem latina, significa "um pequeno bosque de loureiros".

Lorimar - variante de Lóris com o sufixo germânico "mar" (glória).

Lóris - de origem germânica, significa "luz, chama".

Lorivaldo - variante de Lourival.

Lot - forma hebraica de Ló.

Lotar - **Lothar** - variante de Lotário.

Lotário - **Lothaire (fr.)** - **Luther (ing.)** - de origem germânica, significa "exército glorioso".

Lótus - de origem grega, significa "flor branca".

Lourenço - **Laurence (ing.)** - **Lorenz (germ.)** - **Lorenzo (it.)** - de origem latina, significa "natural de Laurento" ou "enfeitado com louros".

Lourival - de origem latina, significa "que possui louros"; forma reduzida: Lori.

Lou - forma reduzida de Louis / Luís.

Lucas - **Luc (fr.)** - **Luca (it.)** - **Lukas (sueco)** - **Luke (ing.)** - de origem grega, é uma variante de Lúcio e, pelo latim, significa "luminoso".

Lucélio - forma derivada de Lúcio.

Luchino - forma diminutiva italiana para Lucas.

Luciano - **Lucian (ing.)** - variante de Lúcio.

Lucídio - de origem latina, significa "luminoso".

Lucidoro - de origem greco-latina, significa "presente de luz".

Lucilo - forma diminutiva de Lúcio.

Lucílio - **Lucínio** - variantes de Lúcio.

Lucindo - forma derivada de Lúcio.

Lúcio - de origem latina, significa "luminoso, brilhante".

Lucrécio - **Lucrezio (it.)** - de origem latina, significa "aquele que atrai, que lucra".

Ludegário - variante de Leodegário.

Ludgero - de origem germânica, significa "guerreiro famoso".

Ludovico - **Lodovico (it.)** - **Ludovic (ing.)** - **Ludovick (ing.)** - **Ludwig (germ.)** - variantes de Luís.

Ludovino - de origem germânica, significa "amigo do povo".

Lufrido - de origem germânica, significa "proteção, amparo".

Luigi - **Luigino** - formas italianas para Luís.

Luís - **Lewis (ing.)** - **Ludwig (germ.)** - **Luigi (it.)** - **Lutz** - de origem germânica, significa "guerreiro famoso, glorioso"; formas reduzidas: Lu / Lou.

Luke - **Loukas** - formas inglesas para Lucas.

Lula - de origem árabe, significa "pérola"; forma reduzida de Luís.

Lupércio - de origem latina, significa "próprio do nascimento".

Lupiano - de origem latina, significa "próprio de lobo".

Lupicino - de origem latina, significa "lobo".

Lutero - **Luther** - variante de Lotário e de Clotário.

Lyndon - **Lynden** - de origem inglesa, significa "colina com limeiras".

Lyss - forma reduzida de Ulysses.

m

Maarten - forma masculina holandesa de Martin.

Mabílio - variante de Amabília; do latim, "aquele que é amado, que deve ser amado".

Macabeu - de origem hebraica, significa "martelo, malho".

Macário - **Macaire (fr.)** - **Macarius (lat.)** - de origem grega, significa "feliz, contente, bem-aventurado".

Macbeth - rei da Escócia; personagem de Shakespeare; de origem gaélica, significa "filho da vida".

Macdonald - de origem escocesa, significa "filho de Donald".

Macgregor - de origem escocesa, significa "filho de Gregório / Gregory".

Mackintosh - de origem escocesa, significa "filho do chefe".

Maclean - de origem no irlandês e também no escocês, significa "filho do servo de João / John".

Macmillan - de origem escocesa, significa "filho de Maolán"; Maol significa "careca, calvo".

Madoc - de origem galesa, significa "bom, beneficente".

Maffeo - variante italiana para Mateus / Matteo.

Magee - do gaélico-irlandês, significa "filho de Hugo"; variante: Mecgee.

Magnus - de origem latina, significa "grande". Antigamente, aposto ao nome de pessoas famosas; hoje, usado como primeiro nome. Variante: Magno.

Mainardo - de origem germânica, significa "forte no poder".

Mair - de origem hebraica, significa "prêmio inteligente".

Maksim - forma reduzida de Mássimo.

Malaquias - Malachi (ing.) - de origem hebraica, significa "mensageiro de Jeová".

Malco - de origem aramaica, significa "rei"; criado do sumo sacerdote a quem Pedro cortou uma orelha.

Malcolm - de origem gaélico-irlandesa, significa "servo de Columba". Diminutivos: Calum / Mal.

Málio - variante de Amália.

Malise - de origem gaélico-escocesa, significa "servo de Jesus".

Mallory - de origem no velho francês, significa "desafortunado, infeliz".

Malone - de origem gaélico-irlandesa, significa "seguidor de São João".

Malquiel - de origem hebraica, significa "meu rei é Deus".

Malvino - de origem gaélico-escocesa, significa "testa polida, cume liso".

Mamede - de origem árabe, significa "louvado, abençoado, amado".

Manahem - de origem hebraica, foi nome de reis e ministros.

Manassés - Manasseh (ing.) - de origem hebraica, significa "que faz esquecer". Era o nome de um filho de José do Egito, consoante a Bíblia.

Mâncio - de origem grega, significa "adivinho".

Mané - forma reduzida de Emanuel / Maneco / Manoel / Manuel.

Maneco - variante de Manuel, no uso coloquial.

Manfredo - Manfred (ing.) - Manfredi (it.) - Manfried (germ.) - de origem germânica, significa "homem da paz"; forma reduzida no inglês: Manny.

Manley - com origem no inglês medieval, significa "bravo, valente".

Manlio - Mânlio - de origem latina, significa "próprio dos deuses Manes", ou seja, "os deuses do lar".

Manners - de origem normanda, significa "residência, permanência".

Manny - forma diminutiva inglesa de Emanuel / Immanuel / Manfred.

Mano - Manno - forma reduzida de Ermano / Manoel.

Manoel - variante de Manuel.

Manon - forma masculina reduzida francesa de Maria.

Manrico - de origem germânica, significa "senhor do poder".

Mansueto - de origem latina, significa "manso, amansado, domado".

Manu - forma reduzida de Emanuel / Manuel.

Manualdo - de origem germânica, significa "que governa o homem, que detém o poder sobre o homem".

Manuel - **Manolo** - variantes de Emanuel.

Maomé - **Mafoma** - **Mahomet (fr.)** - **Mamede** - de origem árabe, significa "altamente louvado". Foi o grande profeta islamita, inspirador do Corão, livro sagrado dos maometanos.

Marão - **Maro** - de origem etrusca, sobrenome do poeta Virgílio, significa "grande, guia, chefe".

Marc - forma francesa de Marcos.

Marçal - **Marçalo** - nome derivado de Marte, deus da guerra.

Marcel - forma francesa de Marcelo.

Marcelo - **Marcel (fr.)** - **Marcello (it.)** - **Marcellus (ing.)** - de origem latina, significa "originário de Marte, deus da guerra"; diminutivo de Marcos.

Marcelino - forma diminutiva de Marcelo.

Márcio - **Marzio (it.)** - de origem latina, significa "guerreiro, que usa o martelo, martelador".

Marcial - **Marziale (it.)** - de origem latina, relativo a Marte.

Marciano - variante de Márcio.

Marciel - variante de Marcial.

Marcílio - de origem latina, variante de Márcio.

Marciolino - variante diminutiva de Márcio.

Marco - forma italiana para Marcos.

Marcolino - variante diminutiva de Marco / Marcos.

Marcos - **Marcus (lat.)** - **Mark (ing.)** - **Markus (germ./sueco)** - de origem latina, significa "grande martelo de ferreiro, da mesma origem que Marte".

Mardoqueu - de origem hebraica. Personagem bíblico, famoso por ter sido o tutor da rainha Ester.

Mariano - forma masculina derivada de Maria; combinação de Maria com Ana, no masculino.

Marildo - combinação dos nomes Mari e Ilda, no masculino.

Marino - de origem latina, relativo ao mar.

Marinho - de origem latina, próprio do mar.

Mário - **Mario (it.)** - **Marius (lat./ ing.)** - de origem latina, significa "varonil, guerreiro, próprio de Marte".

Marland - de origem no velho inglês, significa "lago da terra, lago central".

Marlo - variante de Marlow.

Marlon - de origem francesa, significa "pequeno falcão", possivelmente.

Marlow - de origem no velho inglês, significa "terra do construtor de lagoas"; variantes: Marlo / Marlowe.

Maro - de origem etrusca, significa "grande".

Marsílio - de origem latina, pode estar ligado a Marte ou, então, vir dos marsi, antiga população itálica, situada perto do lago Fucino. Os marsi foram povos dominados pelos romanos.

Marshall - de origem germânica, significa "servo do cavalo, cavalariço".

Martijn - forma holandesa de Martim.

Martim - **Martin** - de origem latina, significa "guerreiro".

Martiniano - **Martinho** - **Martino** - formas variantes de Martim.

Marty - forma diminutiva inglesa de Martim / Martin / Martyn.

Marvin - variante de Mervin.

Mason - de origem anglo-francesa, significa "pedreiro".

Massimiliano - forma italiana derivada de Massimo.

Massimo - **Massimino** - variantes italianas de Máximo.

Mat - forma diminutiva inglesa para Matthew.

Mateus - **Mathieu (fr.)** - **Matteo (it.)** - **Matthew (ing.)** - de origem hebraica, significa "presente de Deus, dom de Deus, homem de Deus".

Matias - de origem hebraica, é variante de Mateus.

Matusalém - de origem hebraica, significa "que maneja a lança".

Mauri - variante de Mauro.

Maurício - **Maurice (ing.)** - **Maurits (hol.)** - **Maurizio (it.)** - de origem latina, significa "com cor preta, pintado de preto, escurecido".

Maurílio - **Maurino** - variantes de Mauro.

Mauro - **Maurus (ing.)** - masculino de Maura.

Max - **Máxie** - **Maxwell** - forma reduzida italiana de Massimiliano / Massimino / Massimo.

Maximiliano - variante de Máximo.

Máximo - **Massimo (it.)** - **Maximus (lat.)** - de origem latina, significa "o maior".

Maxwell - de origem inglesa, significa "jeito de grande, o maior".

Maynard - **Mainardo** - de origem germânica, significa "forte, bravo".

Mayo - de origem gaélico-irlandesa, é o nome de uma planta.

Mecenas - de origem latina, era o nome de alguém que protegia os artistas.

Medardo - **Medard** - de origem céltica, significa "bom e valente".

Medwin - de origem no velho inglês, significa "amigo".

Mel - forma diminutiva inglesa para Melville / Melvin / Melvyn.

Melchior - **Belchior** - **Melchiorre (it.)** - um dos três reis magos da Epifania; de origem hebraica, deve significar "rei da luz".

Melitão - forma variante de Melito / Mélito.

Melitino - forma variante de Melito.

Melito - **Mélito** - **Milito** - de origem grega, significa "doce como o mel".

Melquíades - de origem hebraica, significa "Javé é rei".

Melquias - de origem hebraica, é variante de Melquíades.

Melquior - variante de Melchior.

Melquisedec - **Melquisedeque** - de origem hebraica, significa "meu rei é justiça, meu Deus é justiça".

Melville - **Melvin** - **Melvyn** - de origem irlandesa, significa "chefe, líder"; forma diminutiva: Mel.

Menandro - de origem grega, significa "homem firme, homem inabalável".

Menelau - de origem grega, significa "que não se curva ao povo"; foi um rei de Esparta.

Mércio - variante de Mercy.

Merlim - **Merlin** - **Merlino (it.)** - **Merlyn (ing.)** - de origem galesa, significa "mar forte"; era o mágico da corte do rei Artur.

Meroveu - de origem germânica, significa "guerreiro de glória".

Merri - **Merrie** - formas variantes inglesas de Merry.

Merril - de origem céltica, significa "filho de Muriel"; do velho inglês, significa "lugar aprazível". Variantes: Meryl / Merryll.

Merry - adjetivo do velho inglês que significa "querido, adorado"; variantes: Meri / Merri / Merrie.

Mervin - **Mervyn** - de origem no velho inglês, significa "amigo famoso"; variante: Marvin.

Messias - de origem hebraica, significa "o ungido, o sacramentado, o divino".

Mia - forma reduzida de Jeremia / Jeremias.

Micael - variante de Miguel.

Micah - **Michael** - **Michel (fr.)** - **Michele (it.)** - **Miguel** - de origem hebraica, significa "quem é igual junto a Deus?". Formas diminutivas: Mick / Micky / Mike.

Michel - variante francesa de Miguel.

Michelangelo - de formação italiana, é a junção de Miguel com Ângelo.

Midas - de origem trácia, significa "o que cura, o que cuida"; foi um rei a quem os deuses concederam o dom de transformar em ouro tudo o que tocasse.

Miecislau - de origem polonesa, significa "aquele que propaga a glória".

Mignon - de origem francesa, significa "doçura, maravilha, gostosura".

Miguel - **Michel (fr.)** - de origem hebraica, significa "aquele que é como Deus"; nome de um anjo muito poderoso e assessor direto de Deus.

Mikael - forma sueca de Miguel.

Mike - forma inglesa reduzida de Miguel.

Mikhail - forma russa de Miguel; forma reduzida: Mischa.

Milagros - de origem latina, formação espanhola que significa "milagre".

Milcíades - de origem grega, significa "vermelhão".

Míler - **Miller** - de origem no inglês antigo, significa "moleiro".

Militão - variante de Melitão.

Militino - variante de Melitino.

Milo - de origem grega, significa "grego forte".

Miloslavo - de origem eslava, significa "glória do amor".

Mílson - variante de Mílton ou "filho de Mil".

Mílton - com origem no velho inglês, significa "aldeia do moinho".

Minervino - variante masculina de Minerva.

Mingo - forma reduzida de Domingo, sobretudo em espanhol.

Miqueas - **Miquéias** - de origem hebraica, significa "aquele que é como Javé".

Miquelino - forma diminutiva para Miguel.

Mirko - forma diminutiva de Miroslau / Miroslav. De origem eslava, significa "glória da paz".

Miro - forma reduzida de nomes como Valdomiro e Teodomiro.

Miroslau - de origem eslava, significa "glória da paz".

Mirto - de origem grega, significa "murta (nome de uma planta cujas flores são brancas e perfumadas)".

Misael - de origem hebraica, significa "quem é Deus?" .

Mischa - forma diminutiva de Mikhail.

Mitchell - de origem no antigo inglês, significa "grande, enorme, imenso".

Moab - nome bíblico, um dos filhos de Lot.

Moacir - de origem tupi, conforme José de Alencar, significa "filho de minha dor, nascido do sofrimento".

Moamede - de origem árabe, significa "muito louvado".

Modestino - variante de Modesto.

Modesto - **Modest (rus.)** - **Modesty (ing.)** - de origem latina, significa "humilde, recatado".

Modred - de origem no velho inglês, significa "conselheiro"; na legenda do rei Artur, foi o cavaleiro que matou o rei Artur.

Moisés - de origem hebraica, significa "salvo das águas"; se considerado de origem egípcia, significa "filho de Ísis".

Montserrat - **Montse** - de origem catalã, significa "monte serrado, cortado"; originário do nome Nossa Senhora de Montserrat, padroeira da Catalunha.

Moreno - de origem espanhola, significa "de cor morena, bronzeada".

Morfeu - de origem grega, significa "imagem"; era o nome do deus do sono.

Morison - de origem inglesa, filho de Moris.

Morrice - **Morris** - variante de Maurício, forma reduzida: Mo.

Mortimer - com origem no velho francês, significa "mar morto, mar parado".

Mowgli - esse nome está no Livro da Jângal, de Rudyard Kipling. Era o menino-lobo e o nome significa "filhote de lobo", nome este dado pela mãe lobo que o criou.

Mozart - de origem germânica, significa "ânimo forte".

Muciano - variante de Múcio.

Múcio - de origem latina, significa "monco".

Mungo - de origem gaélica, significa "amigável, amigo".

Munir - de origem árabe, significa "luminoso".

Murdo - **Murdoch** - de origem gaélico-escocesa, significa "guerreiro do mar".

Muriel - de origem céltica, significa "brilho do mar".

Murilo - de origem espanhola, significa "pequeno muro".

Murita - variante espanhola de Murilo.

Mussa - **Muça** - variante árabe de Moisés.

Mustafá - **Mustapha (ing.)** - de origem árabe, significa "eleito, escolhido por Deus".

Myron - **Miron** - de origem grega, significa "óleo aromático".

n

Naam - **Naamah** - de origem hebraica, significa "amado, belo, gracioso".

Naaman - **Naamã** - de origem hebraica, significa "prazer, agradabilidade".

Nabi - de origem árabe, significa "esperto, inteligente".

Nabor - de origem hebraica, significa "luz do profeta".

Nabot - **Naboth** - de origem hebraica, significa "jardim frutífero, pomar".

Nabuco - de origem caldaica, significa "o tesouro de Nebo".

Nabucodonosor - de origem babilônica, significa "o deus Nabu protege a minha coroa".

Nacib - de origem árabe, significa "sorte, fortuna".

Nadal - forma italiana e espanhola de Natal.

Náder - de origem árabe, significa "raro".

Nadir - de origem árabe, é o ponto oposto ao zênite na posição dos astros do universo.

Nagib - de origem árabe, significa "inteligente".

Nahum - de origem hebraica, significa "confortador".

Naim - de origem árabe, significa "delicado, polido".

Najib - variante de Nagib.

Naldo - forma reduzida de Arnaldo.

Naor - de origem hebraica, significa "indignado, irritado".

Naphtali - **Naftali** - **Neftali** - de origem hebraica, significa "aquele que luta". Era o nome de um dos filhos de José do Egito, conforme narra a Bíblia.

Napier - de origem no velho inglês, significa "aquele que cuida de linho".

Napoleão - **Napoleon (ing.)** - **Napoleone (it.)** - de origem grega, significa "o leão da floresta"; formas diminutivas: Nap / Leão.

Narciso - de origem grega, significa "aquele que adormece"; é o nome de uma flor que, segundo a mitologia, por obra dos deuses, surgiu da morte de um rapaz que admirava a própria beleza no espelho das águas.

Nardi - variante de Nardin.

Nardin - **Nardim** - **Nardino** - formas diminutivas de Leonardo.

Nardo - forma reduzida de Leonardo.

Narval - **Narbal** - de origem escandinava, significa "unicorne".

Nash - de origem no velho inglês, é o nome de uma árvore.

Násser - de origem árabe, significa "vitória".

Nassim - de origem árabe, significa "brisa, aura, vento leve".

Nastássio - forma reduzida de Anastácio.

Nat - forma reduzida inglesa de Natã / Nataniel.

Natã - **Nathan (ing.)** - de origem hebraica, significa "Deus deu".

Natal - **Natale (it.)** - **Noël (ing.)** - de origem latina, significa "nascimento". Designa o dia em que Jesus nasceu, data celebrada em 25 de dezembro.

Natalício - de origem latina, refere-se ao dia do nascimento.

Natalino - de origem latina, refere-se ao dia do nascimento ou ao Natal.

Natanael - de origem hebraica, significa "Deus dá, Deus presenteia".

Nataniel - variante de Natanael.

Natel - variante de Natal.

Naum - de origem hebraica, significa "consolo, consolação".

Naylor - variante de Neilor. De origem inglesa, significa "fabricante de pregos e de cravos".

Nazareno - de origem hebraica, significa "flor, coroa". Designa Jesus Cristo, por ele ter vivido muitos anos em Nazaré, cidade judaica.

Nazariel - de origem hebraica, significa "meu auxílio é Deus".

Nazarino - variante de Nazaré.

Nazário - Nazzaro (it.) - de origem hebraica, significa "consagrado a Deus".

Neal - Neale - variante de Neil.

Neandro - Neander - de origem grega, significa "jovem homem, novo homem".

Ned - Neddie - Neddy - formas diminutivas de Edgar / Edmund / Edmundo / Eduardo / Edward / Edwin.

Neemias - Nehemiah - de origem hebraica, significa "Javé é conforto, consolo".

Neftali - Naphtali (ing.) - de origem hebraica, significa "lutador"; era o nome de um dos filhos de José do Egito.

Nei - Ney - de origem em um dialeto francês, significa "novo, júnior".

Neil - de origem gaélica, significa "campeão, vencedor". Variantes: Neal / Neale / Nial / Niall.

Neilor - variante de Naylor.

Nélio - forma portuguesa de Nelly.

Nelito - forma diminutiva de Nelo.

Nelo - Nello - forma reduzida de nomes como, por exemplo, Agnelo.

Nelsi - Nélsio - variantes de Nélson.

Nélson - de origem inglesa, significa "filho de Neil"; forma diminutiva: Nelsinho.

Nélton - variante de Nélson, com grafia errônea.

Nemésio - variante de Nêmesis.

Nemo - de origem grega, significa "bosque, mato, arvoredo"; nome conhecido pelo livro de Júlio Verne.

Nemrod - de origem hebraica, significa "rebelde".

Nenê - apelido comum para o caçula da família.

Neno - apelido familiar para nomes exóticos ou para Heleno.

Neolcides - junção do prefixo "neo" (novo) com o nome Alcides; "novo Alcides".

Nepomuceno - nome advindo de São João Nepomuceno, natural da cidade da Boêmia, chamada Nepomuk.

Nereu - de origem grega, era o deus do mar.

Neri - Néri - derivado de São Felipe Néri; Néri é uma forma reduzida de Raineri / Raniéri.

Nério - de origem latina, significa "eloendro (ou espirradeira, que é um arbusto)".

Nero - de origem latina, significa "forte, corajoso" ou "cabelos pretos". Imperador romano, famoso pelas maldades que praticou contra os cristãos e por mandar matar a própria mãe.

Nerys - de origem galesa, significa "senhor".

Nestor - de origem grega, significa "volta para casa, regresso".

Nestório - variante de Nestor.

Neven - variante de Nevin.

Neviano - variante de Névio.

Neville - de origem no velho francês, significa "lugar novo, nova localidade".

Nevin - de origem gaélico-irlandesa, significa "pequeno santo". Variantes: Neven / Niven.

Névio - de origem latina, significa "nevado, nevoso".

Newman - de origem no velho inglês, significa "recém-chegado, novo visitante".

Newton - de origem inglesa, significa "cidade nova".

Ney - variante de Nei.

Nézio - **Nésio** - forma reduzida de Genésio.

Nial - **Niall** - variantes de Neil.

Niamah - de origem gaélico-irlandesa, significa "brilho, luminosidade".

Nicácio - de origem grega, significa "o vitorioso".

Nicanor - de origem grega, significa "vencedor de homens".

Niccoló - forma italiana de Nicolau.

Nicéforo - de origem grega, significa "o portador da vitória".

Nicholas - **Nícolas** - forma inglesa para Nicolau; formas diminutivas: Nico / Nick / Nicky.

Nicholson - de origem inglesa, significa "filho de Nichol".

Nickson - de origem inglesa, significa "filho de Nick"; variante de Níxon.

Nico - forma reduzida de Niccoló / Nicodemos / Nicolau.

Nicodemo - **Nicodemos** - **Nicodemus (lat./ing.)** - significa "vencedor do povo, vitória do povo, vencedor"; forma diminutiva: Nico.

Nicolau - Niccoló (it.) - Nicholas (ing.) - Nicol (esc.) - Nicola (it.) - Nikolaus (germ.) - de origem grega, significa "o vencedor do povo". Forma reduzida germânica: Klaus; variante: Nicolino.

Nicomedes - de origem grega, significa "aquele que prepara a vitória".

Niels - Niel - variante escandinava de Daniel.

Nigel - de origem latina, significa "escuro".

Nildo - forma reduzida de Brunildo / Ronildo.

Nilo - de origem egípcia, vindo pelo latim e pelo grego, significa "rio azul".

Nils - forma escandinava de Neil.

Nílsen - de origem escandinava, significa "filho de Nil".

Nílson - variante de Nílsen.

Nílton - variante de Newton, ou pode ser forma errada de Nélson.

Nilvo - variante de Nil.

Nimoi - nome de um herói das galáxias. Deve ter origem no latim significando "grande, enorme".

Ninian - de origem céltica, foi um santo; nome de significado incerto.

Nino - de origem assíria, significa "moradia, morada". Forma reduzida de vários nomes, tais como Joanino e Giovannino; substitui nomes exóticos.

Ninon - forma diminutiva francesa masculina para Ana.

Nivaldo - de origem germânica, significa "aquele que governa com ira".

Níveo - de origem latina, significa "próprio da neve, branco, nevoso".

Níxon - de origem inglesa, significa "filho de Nicolau"; variante: Nickson.

Noah - forma inglesa de Noé.

Noé - de origem hebraica, significa "descanso, repouso".

Noel - Noël - forma francesa de Natal.

Nolan - de origem gaélico-irlandesa, significa "filho de campeão".

Noll - Nollie - forma diminutiva inglesa de Oliver.

Norberto - de origem germânica, significa "herói famoso, brilhante, luminoso".

Norino - forma masculina reduzida italiana de Eleonora.

Normalino - variante masculina de Norma.

Nórman - de origem germânica, significa "homem do norte".

Normando - de origem escandinava, significa "homem vindo do norte".

Normélio - variante de Nórman.

Nórris - com origem no velho francês, significa "pessoa que vem do norte" ou "aia, aquela que amamenta".

Nórton - de origem no velho inglês, significa "sítio do norte, vilarejo do norte".

Norville - com origem no velho francês, significa "cidade do norte".

Norvin - com origem no velho inglês, significa "amigo do norte".

Norward - com origem no velho inglês, significa "guardião do norte, sentinela do norte".

Nowak - de origem eslava, significa "homem novo".

Nowell - forma inglesa para Noel.

Núncio - Nunzio (it.) - de origem latina, significa "mensageiro, arauto".

Nuno - de origem latina, significa "pai, avô".

Nuredim - Noredim - de origem árabe, significa "luz da fé".

O

Obádia - **Obadiah** - de origem hebraica, significa "servo de Javé".

Obdias - variante de Obádia.

Obede - **Obed** - de origem hebraica, significa "servo de Javé".

Oberdan - **Oberdã** - variante de Obert.

Oberon - variante inglesa de Auberon.

Obert - de origem germânica, significa "brilhante, vigoroso, saudável".

Ocozias - de origem hebraica, significa "a quem Javé sustenta".

Octávio - **Octavius (lat.)** - variantes de Otávio.

Odair - variante de Adail.

Odásio - **Otásio** - são variantes de Odo / Oto.

Oded - de origem hebraica, significa "aquele que segura, que aguenta".

Odélio - com origem no inglês antigo, significa "moço, menino".

Odemar - de origem germânica, é uma variante de Edmar.

Oderico - variante de Odorico.

Oderlei - variante de Oderico.

Odilo - **Odílio** - variante masculina de Odila.

Odilon - variante de Oto / Otto.

Odin - **Odim** - de origem nórdica, significa "furioso". Era o nome de um deus.

Odir - variante de Odo.

Odo - **Odd (ing.)** - **Oddo** - variante de Otto / Oto.

Odoacro - de origem germânica, significa "protetor da propriedade".

Odoardo - variante italiana de Eduardo.

Odoário - de origem germânica, significa "defensor dos bens, protetor das propriedades".

Odolfo - de origem germânica, significa "lobo com nobreza, nobreza do lobo".

Odolívio - junção dos nomes Odo com Lívio.

Odomar - de origem germânica, "brilho dos bens, esplendor das propriedades". Variantes: Otmar / Otomar / Ottmar / Otumar.

Odomiro - variante de Odemar / Odemiro.

Odon - variante de Oto.

Odorico - de origem germânica, significa "senhor das riquezas, dos bens"; formas reduzidas: Odo / Rico.

Oduíno - de origem germânica, significa "amigo da propriedade".

Odulfo - de origem germânica, significa "lobo da propriedade".

Oduvaldo - de origem germânica, significa "aquele que governa ou administra os bens"; formas reduzidas: Odo / Odu.

Ofir - de origem fenícia, significado desconhecido.

Ogê - Oger - de origem francesa, foi um cavaleiro de Carlos Magno.

Ogilvie - Ogilvy - com origem céltica, significa "pico elevado, cume máximo".

O'Hara - nome irlandês que significa "descendente de Eaghra".

Olacyr - Olacir - variante de Olaf / Olavo.

Olaf - Olav - forma inglesa e norueguesa de Olavo.

Olando - variação do nome Holanda.

Olavino - Olávio - variantes de Olavo.

Olavo - com origem no velho norueguês, significa "remanescente divino, o divino que restou".

Oldegar - de origem germânica, significa "lança dos bens, defensor das propriedades".

Oldemar - variante de Valdemar.

Oldoni - variante de Oldemar.

Olegário - de origem germânica, significa "forte, poderoso".

Olímpio - Olympie (ing.) - Olympio - de origem grega, significa "do céu, celestial, divino". Na antiga Grécia, era o nome de um monte no qual habitariam os deuses.

Olindino - variante masculina de Olinda.

Olinto - de origem grega, significa "figo verde, figo silvestre".

Oliver - **Olivier (fr.)** - de origem latina, significa "oliveira, planta que produz a azeitona". Formas diminutivas inglesas: Ollie / Olly / Noll / Nollie.

Olivério - forma espanhola e portuguesa de Oliver.

Oliveto - de origem italiana, significa "oliveiral, conjunto de oliveiras".

Oliviero - forma italiana de Olivo.

Olivino - variante de Olívio.

Olívio - de origem latina, significa "oliveira, planta que produz a azeitona".

Olivo - variante de Olívio.

Ollie - **Olly** - formas reduzidas inglesas de Oliver.

Omã - variante de Osmã.

Omar - de origem árabe, significa "viver muito" ou "o primeiro filho".

Omero - variante de Homero.

Ona - forma reduzida para nomes terminados em "ona", no inglês.

Onadir - sufixo inglês "ona" (usado aqui como prefixo) com o nome Odir.

Ondino - de origem latina, significa "pequena onda". Era o nome de uma ninfa.

Ondrei - variante italiana para André.

Onefre - forma espanhola de Humphrey.

Onefredo - **Onofrio** - formas italianas de Humphrey.

Onélio - de origem irlandesa, significa "descendente de Noé".

Onésimo - de origem grega, significa "útil, proveitoso".

Onésio - de origem grega, significa "que presta favor, que é útil".

Onildo - variante de Onélio.

Onimar - de origem greco-germânica, é a junção de "oni" (tudo) e "mar" (governo), que significa "tudo governado".

Onofre - de origem egípcia, significa "boi preto, boi sagrado".

Onório - variante de Honório.

Opílio - de origem latina, significa "pastor de ovelhas".

Oraídes - variante de Oran.

Oran - de origem gaélico-irlandesa, significa "madeira descascada, estaca sem casca".

Orazio - variante italiana para Horácio.

Oreb - de origem hebraica, significa "corvo".

Oreliano - variante italiana para Aureliano.

Oren - de origem hebraica, significa "louro".

Orestes - **Oreste (it.)** - de origem grega, significa "montanhês, habitante da montanha". Variante: Orestino.

Orfeu - **Orfeo (it.)** - **Orpheus (ing.)** - de origem grega, significa "tocador de lira".

Orgetórix - **Orgetórige** - de origem gaulesa, significa "rei dos guerreiros"; personagem do livro De Bello Gallico, de Júlio Caio César.

Orico - de origem germânica, significa "príncipe mais forte que o urso".

Orides - **Orrides** - variantes de Orin.

Oriel - de origem germânica, significa "luta, contenda, justa".

Orígenes - de origem grega, significa "descendente do deus egípcio Hor".

Orildo - variante de Orin.

Orin - variante de Oran.

Oriol - de origem latina, nome comum na Espanha. Significa "de ouro, dourado".

Orion - de origem grega, significa "filho da luz".

Orival - variante de Orivaldo.

Orivaldo - de origem germânica, significa "o príncipe que governa com força, com poder".

Orlando - variante de Rolando.

Orlandino - variante de Orlando.

Orli - nome de uma localidade francesa, inclusive de um aeroporto perto de Paris.

Ormeo - anagrama de Romeu.

Ormi - anagrama de Miro.

Ormond - **Ormonde** - **Ormondo** - de origem gaélico-irlandesa, significa "aquele que vem da região leste da província de Munster, na Irlanda".

Ornello - de origem italiana, é o nome de uma planta cujos cachos de flores são muito perfumados.

Oronildo - junção do nome "oros" (monte) com a forma reduzida Nildo.

Orôncio - de origem grega, significa "aquele que se lança com ímpeto".

Orso - de origem latina, significa "urso em italiano".

Orson - com origem no velho francês, através do latim, significa "pequeno urso".

Orville - **Orvil** - com origem no velho francês, significa "local dourado, lugar de ouro".

Osborn - **Osborne** - **Osbourne** - de origem germânica, significa "urso divino" ou "guerreiro".

Oscar - **Oskar (germ./esc.)** - de origem germânica, significa "lança divina"; forma diminutiva em inglês: Ossie.

Oscarino - variante de Oscar.

Oscarito - variante diminutiva de Oscar.

Oseas - de origem hebraica, significa "salvação, salvador"; variante: Oséias.

Osias - de origem hebraica, significa "Javé salvou".

Osíris - de origem egípcia, significa "aquele que tem muitos olhos".

Osman - **Osmann** - de origem germânica, significa "homem dos deuses". Variante: Osmano.

Osmar - de origem germânica, significa "afamado, ilustre, conhecido".

Osmarildo - junção dos nomes Osmar com Ildo.

Osmarino - **Osmário** - variantes de Osmar.

Osmênio - variante de Osman.

Osmiro - de origem germânica, significa "brilho, glória dos deuses".

Osmundo - **Osmond (ing.)** - **Osmund (ing.)** - de origem germânica, significa "proteção divina".

Osni - de origem hebraica, significa "orelhudo" ou "Deus ouviu".

Osnildo - junção dos nomes Osni com Ildo.

Osório - talvez de origem basca, significando "caçador de lobos".

Ossian - **Ossiã** - de origem gaélica, significa "pequeno gamo".

Ossie - forma diminutiva inglesa de Osbert / Osborn / Oscar / Osmond / Oswald.

Osvaldo - **Oswald (germ./ing.)** - de origem germânica, significa "governante divino, poder de Deus".

Osvaldino - variante de Osvaldo.

Osvino - **Oswin (ing.)** - com origem no velho inglês, significa "amigo de Deus, amigo dos deuses".

Otacílio - de origem grega, significa "aquele que escuta"; do latim, "o oitavo filho".

Otair - **Otão** - **Otásio** - **Oton** - **Óton** - variantes de Oto.

Otaviano - variante de Otávio.

Otávio - **Octavius (lat./ ing.)** - **Ottavio (it.)** - de origem latina, significa "o oitavo (normalmente, o oitavo filho)".

Otelo - variante de Oto. Nome de um drama de Shakespeare cujo tema é o ciúme possessivo.

Otero - de origem espanhola, significa "outeiro, colina".

Otílio - variante masculina de Odila.

Oto - **Otto** - de origem germânica, significa "rico".

Otocar - variante de Odoacro.

Otomar - variante de Odomar, outras formas: Otmar / Ottomar.

Otoniel - de origem hebraica, significa "leão de Deus".

Ottone - variante italiana para Oto.

Ottorino - variante italiana para Ottone.

Ovando - de origem latina, significa "que louva, que triunfa com comemorações".

Ovídio - de origem latina, significa "referente a ovelhas, pastor de ovelhas".

Owain - forma galesa para Eugênio.

Owen - de origem celta, significa "um jovem guerreiro, um cordeiro". Na derivação galesa, é uma forma reduzida de Eugênio.

Oxton - de origem no velho inglês, significa "local para recolher os bois".

Oz - **Ozzie** - **Ozzy** - formas diminutivas inglesas para nomes começados com "Os".

Ozias - de origem hebraica, significa "Javé é minha força".

Oziel - de origem hebraica, significa "a força de Deus".
Ozir - variante de Oziel.

p

MENINOS

Pablo - forma espanhola para Paulo; formas diminutivas: Pablito / Pol.

Pacífico - de origem latina, significa "cheio de paz, pessoa da paz".

Pacômio - de origem egípcia, significa "igual águia".

Pacônio - de origem latina, significa "pacífico, da paz".

Pacúvio - de origem latina, significa "pacífico, a paz".

Paddy - forma reduzida de Patrick.

Padraig - forma gaélico-irlandesa de Patrício.

Pagano - de origem italiana, significa "pagão".

Paget - Padget - Padgett - Pagett - com origem no velho francês, significa "jovem pajem".

Paixão - de origem religiosa, refere-se à paixão e morte de Jesus Cristo.

Paládio - de origem grega, significa "consagrado a Palas (nome de uma divindade da mitologia grega)".

Palma - forma italiana para Palmiro.

Palmiro - Palmer - de origem latina, significa "palmeira" ou "terra das palmeiras".

Pan - Pã - de origem grega, era o deus dos campos, das matas, dos pastores.

Pancho - Paco - Panchito - formas reduzidas, do espanhol, para Francisco.

Pancrácio - de origem grega, significa "que tudo pode, todo poderoso".

Pandolfo - de origem germânica, significa "bandeira do lobo".

Pândaro - Pandarus - de origem grega, significa "aquele que voa em tudo". Era um aliado dos troianos na guerra contra os gregos e foi morto por Dionísio.

Pânfilo - de origem grega, significa "aquele que ama tudo".

Pansy - de origem francesa, significa "reto, completo, direito".

Pantaleão - de origem grega, significa "grande leão, forte, robusto".

Paolo - forma italiana para Paulo.

Paracelso - nome de um médico e professor do início da Idade Moderna.

Paraguaçu - de origem tupi, significa "grande seio de mar".

Páris - de origem grega, significa "lutador". Segundo a mitologia grega, foi o sedutor e raptor de Helena de Tróia, fato que causou a Guerra de Tróia.

Parísio - de origem latina, significa "natural de Paris"; relativo a Páris, da mitologia grega.

Parmênides - de origem grega, significa "sobrevivente"; variante de Parmênio.

Parmênio - de origem grega, significa "persistente, perseverante".

Parsifal - de origem árabe, significa "cavaleiro de boa sorte".

Pascal - de origem francesa, significa "quem nasceu na Páscoa".

Pascásio - variante de Pascoal.

Páscoa - de origem cristã, indica o dia da ressurreição de Cristo; o nome é de origem hebraica e significa "passagem para a liberdade".

Pascoal - variante de Pascal, derivado de Páscoa.

Pascoalino - forma derivada de Páscoa.

Pasqual - Pasquale (it.) - relativo à Páscoa.

Pasqualino - variante de Páscoa.

Pastor - de origem latina, significa "aquele que guarda rebanhos, condutor de rebanhos".

Pastorino - variante de Pastor.

Patrício - Patrice (fr.) - Patrick (ing.) - Patrizio (it.) - de origem latina, significa "próprio da pátria, da mesma terra, fidalgo"; formas reduzidas: Paddy / Pat / Patsy / Pattie.

Pátrocles - de origem grega, significa "glória do pai".

Patterson - de origem inglesa, significa "filho de Pate"; variante de Patrick.

Paulino - forma diminutiva de Paulo.

Paulo - Pablo - Paul (germ./ing.) - Paulus (lat./germ.) - Pavel (rus.) - Pavlos (rus.) - de origem latina, significa "pequeno, baixo, baixote".

Payne - Payn - com origem no velho francês, significa "sitiante, homem do sítio, pessoa do campo".

Pearson - de origem inglesa, significa "filho de Pedro / Piers".

Pedaiah - Pedaiá - de origem hebraica, significa "Javé é meu resgate; refém de Javé".

Pedrão - forma aumentativa para Pedro.

Pedrino - Pedrinho - formas diminutivas de Pedro.

Pedro - Peter (ing./germ.) - Petrus (lat.) - Piero (it.) - Pièrre (fr.) - Pietro (it.) de origem latina, significa "pedra, rocha, rochedo". Formas diminutivas: Doca / Pedrinho / Pedroca.

Peer - forma norueguesa para Pedro.

Pelágio - de origem latina, significa "marítimo, próprio do mar".

Pelayo - forma espanhola para Pelágio.

Peleg - de origem hebraica, significa "divisão".

Pellegrino - forma italiana para Peregrino.

Pepe - forma diminutiva de José.

Pepin - de origem germânica, significa "duradouro, permanente".

Pepino - de origem francesa, significa "impulso, movimento".

Peppino - forma diminutiva italiana de Giuseppe / Peppe / Peppo.

Percival - Perceval - com origem no velho francês, significa "aquele que atravessa os vales".

Percy - Perci - com origem no velho francês, provém de uma localidade da Normandia, Perci-en-Auge.

Peregrino - Pellegrino (it.) - Peregrine (ing.) - de origem latina, significa "aquele que visita lugares sagrados por devoção, romeiro"; forma inglesa reduzida: Perry.

Pergentino - de origem latina, significa "andante, caminhante, peregrino".

Peri - de origem tupi, significa "esteira de junco"; nome usado por José de Alencar na obra O Guarani.

Péricles - de origem grega, significa "muito famoso, muito notável".

Perico - Perucho - formas diminutivas espanholas de Pedro.

Perilo - de origem grega, significa "que se torce, que rodeia".

Permínio - de origem latina, significa "pequeno, diminuto".

Perna - de origem germânica, é o mesmo que Berna; forma reduzida de Bernardo.

Pero - forma antiga para Pedro / Pero Vaz de Caminha.

Perpétuo - de origem grega, significa "eterno, perene, que dura sempre".

Perry - de origem no inglês antigo, é o nome de uma planta.

Perseu - de origem grega, significa "aquele que destrói, que saqueia".

Pérsio - **Persis** - de origem grega, significa "o saqueador".

Peter - forma germânica e inglesa para Pedro; formas diminutivas: Pete / Peterkin.

Petrarca - de origem grega, significa "governo duro como pedra". Foi um grande poeta do Renascimento italiano, famoso por seus sonetos de amor a uma amada chamada Laura.

Petronel - variante de Petrônio.

Petrônio - de origem latina, significa "o quarto filho". Personagem famoso do império romano, um tipo de cronista social mundano da época.

Petrus - uma forma latina e germânica para Pedro.

Pettifer - com origem no antigo francês, significa "pés de ferro".

Phebe - variante de Febo / Phoebe.

Phelim - de origem irlandesa, significa "sempre bom".

Phil - forma diminutiva de Philip / Phillip.

Philbert - de origem germânica, significa "muito brilhante".

Philemon - de origem grega, significa "amigavelmente".

Philip - de origem grega, significa "domador de cavalos". Variantes: Phillip / Phil / Pip.

Pierce - variante inglesa de Pedro.

Pierino - forma diminutiva italiana para Pedro / Piero.

Piero - forma italiana para Pedro; variantes: Pietro / Pierino.

Pierrot - **Pierrete** - variantes francesas para Pedro.

Pieter - forma holandesa de Pedro.

Pietro - variante italiana para Pedro / Piero.

Pilatos - de origem latina, significa "armado de lança".

Pio - **Pius (lat./ing.)** - de origem latina, significa "piedoso"; nome de doze papas.

Piragibe - de origem tupi, significa "braços de peixe, barbatanas".

Pirajá - de origem tupi, significa "viveiro de peixe".

Piraju - de origem tupi, significa "peixe dourado".

Pirro - de origem grega, significa "aquele que tem os cabelos ruivos, avermelhados".

Pitágoras - de origem grega, significa "praça, foro".

Pitangui - de origem tupi, significa "rio das pitangas".

Placidino - **Placídio** - variantes de Plácido.

Plácido - de origem latina, significa "pacífico, em paz, calmo".

Platão - de origem grega, significa "aquele que tem testa larga ou grandes ombros".

Plauto - de origem latina, significa "o que tem os pés chatos e largos".

Plínio - de origem latina, significa "pleno, completo, cheio, forte".

Plutarco - de origem grega, significa "senhor das riquezas".

Poldo - **Poldino** - variantes italianas de Leopoldo.

Póli - **Poly** - formas reduzidas de Polidoro.

Políbio - de origem grega, significa "de vida longa, longevo".

Policarpo - de origem grega, significa "o que tem muitos frutos, muito frutífero".

Polônio - variante de Apolônio.

Pompeu - de origem latina, significa "o quinto filho".

Pompílio - **Pompônio** - variante de Pompeu.

Poncho - forma diminutiva espanhola de Alfonso.

Ponciano - forma derivada de Pôncio.

Pôncio - variante de Pompeu.

Porcino - variante de Pórcio.

Pórcio - de origem latina, significa "próprio de suíno, de porco (animal)".

Porfírio - de origem grega, significa "purpúreo, de cor vermelha".

Poseidon - de origem grega, significa "dominador dos mares".

Possidônio - variante de Poseidon.
Poti - de origem tupi, significa "camarão".
Praxedes - de origem grega, significa "prático, ativo, diligente".
Presley - de origem inglesa, significa "campo dos sacerdotes".
Prezalino - de origem latina, significa "amado, prezado, estimado".
Príamo - era o rei de Tróia, pai de Páris, Heitor e Enéias.
Primino - variante de Primo.
Primo - de origem latina, significa "o primeiro filho, o primogênito".
Primrose - nome de flores primaveris, denominadas primaveras.
Prince - de origem inglesa, significa "real, príncipe".
Prisciliano - variante de Priscila.
Prisco - de origem latina, significa "antigo, dos velhos tempos, de antigamente".
Procópio - de origem latina, significa "aquele que progride, que ganha".
Prometeu - de origem grega, significa "sensato, ajuizado".
Propércio - de origem latina, significa "prematuro, nascido antes do tempo".
Próspero - Prosper (ing.) - de origem latina, significa "próspero, auspicioso".
Protágoras - de origem grega, foi um grande tribuno.
Protásio - de origem grega, significa "o primeiro trecho, a primeira parte".
Proteu - de origem grega, significa "o primeiro filho, o primogênito".
Prudêncio - Prudence (ing.) - de origem latina, significa "cauteloso, cuidadoso"; formas reduzidas inglesas: Prudie / Prue.
Prudente - variante de Prudêncio.
Ptolomeu - de origem grega, significa "o belicoso, o guerreiro".
Públio - de origem latina, significa "popular, democrático".
Pugh - de origem galesa, significa "filho de Hugo".
Putifar - de origem hebraica, significa "dado pelo sol".

q

Quentin - variante de Quinto / Quinton.

Querubim - de origem hebraica, significa "Deus seja louvado".

Querubino - variante de Querubim.

Quim - **Quincas** - **Quinco** - formas reduzidas de Joaquim.

Quincy - **Quincey** - de origem latino-francesa, significa "o quinto lugar".

Quinlan - de origem gaélico-irlandesa, significa "bem formado, bem ajustado".

Quinn - de origem gaélico-irlandesa, significa "sábio, prudente".

Quintiliano - de origem latina, é a forma diminutiva de Quinto.

Quintílio - **Quintilo** - variantes de Quinto.

Quintin - forma espanhola para Quinto.

Quintino - forma diminutiva de Quinto.

Quinto - **Quintus (lat./ing.)** - de origem latina, significa "o quinto filho".

Quinton - variante inglesa de Quinto.

Quirino - de origem latina, significa "lanceiro, armado de dardo, guerreiro, lutador".

Quirizio - variante italiana para Quinto.

Quirk - de origem irlandesa, significa "descendente de Corc". Também é concedido a esse nome o significado de "coração".

Quixote - de origem espanhola, é o nome de uma peça da armadura. É também o nome de um herói idealista, criado por Miguel de Cervantes, representando as pessoas que lutam por ideais.

r

Rab - **Rabbie** - formas reduzidas, no inglês, de Roberto.

Raban - de origem germânica, significa "corvo".

Rabi - de origem aramaica, significa "meu senhor".

Rachid - de origem árabe, significa "o justo, reto, justiceiro".

Radamés - de origem egípcia, significa "filho dos deuses, filho de Rá".

Radley - de origem no velho inglês, significa "campo vermelho, prado vermelho".

Radnor - com origem no velho inglês, significa "rampa vermelha, ladeira vermelha".

Radulfo - de origem germânica, significa "lobo do conselho".

Rafael - **Raffaele (it.)** - **Raffaello (it.)** - de origem hebraica, significa "curado por Deus"; forma reduzida: Rafa.

Rafe - forma reduzida inglesa de Ralph.

Raferty - de origem gaélico-irlandesa, significa "próspero, produtivo".

Rafi - de origem árabe, significa "companheiro".

Raguel - de origem hebraica, significa "amigo de Deus".

Raiel - **Rael** - nome de um anjo.

Raimundo - **Raimondo (it.)** - **Raimund (germ.)** - **Raymond (fr./ing.)** - **Reimund (germ.)** - de origem germânica, significa "proteção do conselho"; forma diminutiva: Rai / Ray.

Rainaldo - forma italiana de Reginaldo.

Rainério - variante de Raniéri.

Raines - de origem inglesa, significa "filho de Raine"; forma reduzida de Raimundo.

Rainier - forma francesa de Rayner / Renier.

Raleigh - com origem no velho inglês, significa "vermelho" ou "amado prado, aprazível campina". Formas variantes: Rayleigh / Rawley.

Ralf - forma reduzida de Rodolfo; variante: Ralph; formas reduzidas: Rafe / Rolph.

Ram - de origem hebraica, significa "altura, cume".

Rama - com origem na mitologia hindu, era um dos nomes que o deus Vishnu assumiu.

Ramão - forma portuguesa de Ramon.

Rambo - de origem americana, significa "violento, tempestuoso"; forma reduzida do termo inglês "rambunctious".

Ramires - variante de Ramiro.

Ramiro - de origem germânica, significa "guerreiro famoso, conselheiro".

Ramon - forma espanhola de Raimundo.

Ramsay - **Ramsey** - com origem no velho norueguês, significa "selvagem rio da ilha".

Ramsden - com origem no velho inglês, significa "vale de Ram".

Ramsés - de origem egípcia, significa "filho de Rá".

Ranald - variante de Reginaldo.

Rand - forma diminutiva de Randal / Randolf.

Randal - **Randall** - formas originárias do velho inglês, reduzidas de Randolf / Randolfo; variante: Ranulfo.

Rando - forma reduzida de Randolfo.

Randolfo - **Randolf (ing.)** - **Randolph (ing.)** - de origem germânica, significa "lobo da beira do mato". Variante: Ranulf; formas diminutivas: Rand / Rando / Randy.

Ranieri - de origem germânica, significa "o conselheiro do exército, o estrategista".

Rankin - **Rankine** - formas diminutivas de Randolf.

Ranulfo - **Ranulf (ing.)** - de origem visigótica, significa "lobo do conselho"; variante de Randolfo.

Raphael - variante de Rafael.

Ras - forma diminutiva de Erasmus / Erastus.

Rattigan - de origem irlandesa, significa "juiz, guardador da lei".

Raul - **Ralph (ing.)** - **Raoul (fr.)** - adaptações de Ralf.

Raulino - variante de Raul.

Ray - forma diminutiva de Raymond.

Raymond - **Raimund** - formas inglesas de Raimundo.

Rayne - de origem inglesa, significa "poderoso exército". Formas variantes: Raine / Rayner.

Razias - de origem hebraica, mas com significado incerto.

Reagan - variante de Regan.

Reardon - variante de Riordan.

Redman - com origem no velho inglês, significa "telhado vermelho, cumieira vermelha".

Redmond - de origem germânica, significa "conselho, ideia, ideia de projeção".

Reeve - **Reeves** - com origem no velho inglês, significa "administrador, garantia".

Regan - com origem no gaélico irlandês, significa "pequeno rei". Variantes: Reagan / Rogan.

Reginaldo - **Reginald (ing.)** - de origem germânica, significa "governante através do conselho". Formas reduzidas inglesas: Reg / Reggie.

Régulo - **Regulus (lat.)** - de origina latina, significa "pequeno rei, jovem príncipe".

Reilly - de origem gaélico-irlandesa, significa "valente, valoroso".

Reinaldo - **Reinald (ing.)** - variante, do inglês recente, de Reginaldo.

Reinardo - **Reinhard (germ.)** - **Reynard (ing.)** - de origem germânica, significa "advertência séria"; do francês, significa "raposa".

Reinoldo - **Renaud (fr.)** - **Regnault (fr.)** - **Reinhold** - **Reinwald** - várias formas para Reginaldo.

Remígio - de origem latina, significa "remador, aquele que rema"; forma reduzida: Remi.

Remo - **Remus (lat. /ing.)** - de origem latina, significa "força".

Remy - forma francesa de Remígio.

Renaldo - forma espanhola de Reginaldo.

Renan - de origem francesa, significa "foca".

Renato - **Renatus (lat.)** - de origem latina, significa "renascido".

Renault - forma francesa de Reginaldo.

Renê - **René** - forma francesa para Renato.

Reni - **Rennie** - **Renny** - formas diminutivas de Reinoldo.

Reno - de origem gaulesa, significa "água, mar".

Renold - variante de Reinoldo.

Renzo - forma reduzida italiana de Fiorenzo / Lorenzo.

Reuben - de origem hebraica, significa "olhar para um filho".

Reuel - de origem inglesa, significa "amigo de Deus".

Revanildo - variante de Vanildo.

Rex - de origem latina, significa "rei".

Reynard - variante de Reinardo / Reinhard.

Ricardino - variante de Ricardo.

Ricardo - Riccardo (it.) - Ricciardo (it.) - Richard (germ./ (ing.) - de origem germânica, significa "poderoso e forte, poderoso e rico". Formas diminutivas inglesas: Dick / Rich / Richey / Richie / Rick / Rickie / Ricky / Ritchie; formas portuguesas: Cardo / Rica / Rico.

Rich - forma diminutiva para Richard / Richmond.

Richetto - forma diminutiva italiana para Enrico / Henrique.

Richmond - de origem no velho francês, significa "colina forte, grande colina"; formas diminutivas: Rich / Richey / Richie.

Ricky - forma diminutiva de Ricardo em inglês, mas usada como primeiro nome.

Rico - forma diminutiva para Enrico / Frederico / Olderico / Roderico.

Righetto - forma reduzida italiana de Arrigo.

Rigo - forma reduzida italiana de nomes como Amerigo e Rodrigo, entre outros.

Rigoberto - de origem germânica, significa "brilhante pela riqueza; chefe brilhante".

Rigoleto - derivado de Rígolo. De origem italiana, significa "engraçado, que diverte".

Riley - variante de Reilly.

Rildo - forma reduzida de Ronildo.

Rinaldo - forma italiana para Reginaldo.

Riobaldo - variante de Ubaldo, personagem do livro Grande Sertão: Veredas, de Guimarães Rosa.

Riordan - de origem gaélico-irlandesa, significa "bardo, poeta"; variante: Reardon.

Ritchie - forma diminutiva de Richard.

Ritter - de origem germânica, significa "cavaleiro".

Rivaldo - de origem latina e escandinava, significa "aquele que cuida da margem do rio, que governa o rio".

Rizzardo - variante italiana para Ricardo / Riccardo.

Roaldo - com origem no velho norueguês, significa "governante famoso".

Robério - junção de nomes Roberto e Rogério.

Robervaldo - **Roberval** - composição dos nomes Robert e Valdo.

Robespierre - composição dos nomes Robert e Pierre.

Robertino - variante de Roberto.

Roberto - **Robert (fr./ing.)** - de origem germânica, significa "brilhante pela fama". Formas diminutivas: Beto / Berto / Bob / Bobby / Rab / Rob / Robbie / Robby / Róbin.

Róbinson - de origem inglesa, significa "filho de Roberto / Róbin".

Roboão - de origem hebraica, significa "largo, livre é o povo".

Róbson - de origem inglesa, significa "filho de Rob".

Rocco - forma italiana de Roque.

Rocío - de origem latina, significa "coberto de orvalho". Nome de uso espanhol.

Rock - com origem no velho inglês, significa "rochedo, penedo, rocha".

Rocky - forma inglesa para Rocco.

Roddy - **Rod** - formas diminutivas de Roderick / Rodney.

Roderico - **Roderich (germ.)** - **Roderick (ing.)** - **Roderico (it.)** - origem germânica, significa "o poderoso príncipe". Formas diminutivas: Rod / Roddy / Rurik.

Rodger - variante de Róger.

Rodney - designativo de local; forma diminutiva: Rod.

Rodolfo - **Rodolf (esp./it.)** - **Rodolphe (fr.)** - **Rudolph (germ./ing.)** - de origem germânica, significa "lobo de glória". Formas diminutivas: Dolfo / Dolph / Rúdi / Rudo.

Rodrigo - forma portuguesa de Roderico. Variante francesa: Rodrigue.

Ródson - de origem inglesa, significa "filho de Rod".

Rodusindo - de origem germânica, significa "caminho da glória, mancha".

Rogaciano - de origem latina, significa "a quem se pede, a quem se roga".

Rogan - variante de Regan.

Rogelio - forma espanhola de Róger.

Róger - de origem germânica, significa "famoso com a espada"; variante: Rodger.

Rogério - **Rogelio (esp.)** - **Rogger (germ.)** - **Roggero (it.)** - **Rüdiger (germ.)** - **Ruggero (it.)** - **Ruggiero (it.)** - nomes derivados de Róger.

Rohan - de origem sânscrita, significa "que cura, incenso".

Rolando - **Roland (germ.)** - de origem germânica, significa "a fama da terra, glória da região". Variantes: Rolland / Rowland; forma diminutiva: Roly.

Roldão - **Roldan** - variantes de Rolando.

Roldo - variante de Aroldo / Haroldo.

Rolf - **Rolfo** - forma reduzida de Rodolfo / Rudolf; variante: Rollo.

Rolland - **Roland** - variante de Rolando.

Rolph - variante de Ralph.

Roly - forma diminutiva de Roland / Rolando.

Román - forma espanhola de Romano.

Romano - **Romain (fr.)** - de origem latina, significa "natural de Roma".

Romão - variante de Romano.

Romário - de origem latina, significa "romeiro, peregrino"; variante de Romero.

Romeo - variante de Romano.

Romero - de origem grega, significa "romeiro, peregrino".

Romeu - de origem latina, significa "peregrino, quem vai como peregrino a Roma".

Romildo - de origem germânica, significa "guerreiro glorioso".

Romílton - variante de Romildo.

Romney - com origem no velho inglês, significa "à margem do rio, ribeirinho".

Romualdo - de origem germânica, significa "aquele que governa com fama".

Rômulo - **Romolo (it.)** - **Romulus (lat.)** - de origem latina, significa "senhor de Roma".

Ronaldo - de origem germânica, significa "o que governa com mistério"; formas diminutivas: Ron / Rôni / Rony / Ronnie / Ronny.

Ronan - de origem gaélico-irlandesa, significa "pequeno selo e pequena foca".

Rônei - de origem gaélica, significa "vermelho"; variante de Rooney.

Ronildo - de origem germânica, significa "um guerreiro de mistério".

Rooney - de origem gaélica, significa "vermelho, vermelho forte".

Roque - **Rocco (it.)** - **Roch (fr.)** - **Rogue (esp.)** - de origem possivelmente provençal, significa "quem tem os cabelos vermelhos"; forma diminutiva: Rocky.

Rory - com origem gaélico-irlandês e escocês, significa "vermelho".

Rosálio - de origem latina, festa romana cujo centro eram os enfeites feitos com rosas.

Rosalvo - vairante de Rosalbo.

Rosamundo - de origem germânica, significa "proteção famosa; cavalo protetor".

Róscio - **Roscelino** - de origem italiana, significa "orvalho"; variante espanhola: Rocío.

Rosino - forma diminutiva masculina de Rosa.

Rosinei - variante masculina de Rosa / Rosina.

Roslin - **Roslyn** - de origem gaélico-escocesa, significa "local impróprio para criar galinhas".

Ross - com origem no gaélico-escocês, significa "promontório" ou "terra pantonosa".

Rosvaldo - de origem germânica, significa "cavalo poderoso".

Rousseau - sobrenome francês usado como nome próprio, significa "o de cabelo vermelho".

Rowan - de origem gaélico-irlandesa, significa "vermelho".

Rowe - com origem no velho inglês, significa "cabeça".

Rowell - com origem no velho inglês, significa "colina íngreme".

Roy - pela origem gaélica, significa "vermelho"; pelo velho francês, "rei".

Ruano - de origem espanhola, significa "castanho-avermelhado".

Rubem - Reuben (ing.) - Rúben - de origem hebraica, significa "filho da visão"; forma reduzida inglesa: Rube.

Rúbio - forma masculina de Rúbia.

Rúdi - Rudi - forma diminutiva germânica de Rüdiger / Rudolfo.

Rüdiger - forma germânica de Róger.

Rudnei - Rudney - variante de Rodnei.

Rudnick - de origem eslava, significa "mineiro de metal".

Rudolfo - Rodolfo - Rudolf (ing.) - Rudolph - variantes de Rodolfo.

Rudyard - com origem no velho inglês, significa "taipa, cerca de juncos". É o nome de um grande poeta e escritor inglês, sobretudo pela obra O Livro do Jângal.

Rufe - forma diminutiva de Rúfus.

Rufino - forma diminutiva de Rufo.

Rúfus - Rufo - de origem latina, significa "de cabelos ruivos".

Ruggiero - Ruggeri - Ruggero - formas italianas de Róger.

Rui - forma reduzida de Rodrigo; variante: Ruy.

Rupert - Ruperto - variante inglesa de Roberto.

Ruprecht - forma germânica de Roberto.

Rurick - forma diminutiva de Roderick / Roderie.

Russel - com origem no velho francês, significa "cabelo vermelho"; forma reduzida: Russ.

Rutger - forma holandesa de Róger.

Rutílio - de origem latina, significa "o de cabelos ruivos".

Ryan - sobrenome irlandês que significa "descendente dos devotos de São Raiaghan".

Rye - de origem francesa, significa "proveniente de dique, barragem em rio".

Rylan - Ryland - de origem no velho inglês, significa "onde cresce o centeio".

S

Saada - **Sada** - de origem árabe, significa "felicidade".

Sabatino - de origem latina, significa "quem nasceu no sábado" ou próprio do sábado.

Sabin - forma reduzida de Sabino.

Sabino - **Sabin (fr.)** - **Sabinus (lat.)** - de origem latina, significa "pertencene ao povo sabino, vizinhos de Roma". Variante: Sabiniano.

Sadi - de origem árabe, pode ser "amigo" ou "natural de Saade".

Sado - de origem árabe, significa "coisa feliz e rica".

Sadoc - **Sadoque** - de origem hebraica, significa "justo, correto".

Safo - de origem grega, significa "clara, brilhante, sábia".

Said - de origem árabe, significa "feliz".

Saladino - de origem árabe, significa "integridade da fé, da religião".

Salambô - de origem fenícia, significa "a paz de Deus". É o nome da heroína de um romance de Gustave Flaubert.

Salatiel - de origem hebraica, significa "supliquei a Deus".

Saliba - de origem árabe, significa "cruz".

Salim - de origem árabe, significa "paz, sáude, perfeito".

Sallum - **Salum** - variantes de Salim.

Salmanassar - de origem assíria, significa "o deus Salmã é o príncipe".

Salomão - **Salomon (fr.)** - **Salomo (hol.)** - **Salomone (it.)** - de origem hebraica, significa "pacífico, tranquilo, próspero".

Salustiano - variante de Salústio.

Salústio - de origem latina, significa "salvação, permanência da vida"; foi um grande historiador romano.

Salvador - Salvatore (it.) - de origem latina e cristã, refere-se a Jesus Cristo.
Salviano - de origem latina, é variante de Sálvio.
Salvino - variante de Sálvio.
Sálvio - de origem latina, significa "saudável, sadio, são".
Sam - forma reduzida inglesa de Samuel.
Samaritano - de origem latina, designa a pessoa de Samaria, região da Palestina.
Sâmi - de origem árabe, significa "alto, sublime".
Samir - de origem árabe, significa "amigo, companheiro de luta ou de encontros".
Sammy - forma reduzida de Samuel.
Samson - Sampson - de origem hebraica, significa "igual ao sol".
Samuel - Samuele (it.) - de origem hebraica, significa "ouvido por Deus"; formas reduzidas inglesas: Sam / Sammy.
Sancho - de origem espanhola, significa "sagrado, mais santo".
Sanders - de origem no velho inglês, forma derivada de Alexandre; variante: Sandy.
Sandor - forma húngara de Alexandre.
Sandoval - de origem alemã, significa "o verdadeiro governante".
Sandrino - forma diminutiva de Alexandre.
Sandro - forma masculina de Sandra.
Sandy - forma reduzida de Alexandre / Lisandro / Sanders.
Sanford - com origem no velho inglês, significa "vau arenoso, local de areias".
Sansão - Samson (ing.) - Sanson (germ.) - Sansone (it.) - de origem hebraica, significa "solzinho, deus Sol".
Santiago - composição de Santo com Iago, ou seja, "São Tiago".
Santino - forma diminutiva de Santo.
Santo - de origem latina, significa "puro, santificado, inocente".
Sarandi - de origem tupi, significa "rio dos sarãs (um tipo de planta)".
Sargão - de origem assíria, significa "o rei ordenou, mandou".
Sátiro - de origem grega, significa "sedutor, luxurioso, dividande dos montes e vales".

Saturnino - de origem latina, referente a Saturno.

Saturno - de origem latina, filho de Urano e de Vesta, pai de Júpiter e de Juno.

Saul - de origem hebraica, significa "o implorado, o desejado".

Saulo - variante de Saul.

Savério - forma italiana de Xavier.

Saveur - forma francesa de Sabor.

Savino - variante de Sabino.

Scipião - variante de Cipião, nome de um general romano que derrotou Hanibal na batalha de Zama, em 202 a.C., no norte da África.

Scott - de origem inglesa, significa "escocês".

Seamas - **Seamus** - variantes do gaélico-irlandês para Jaime.

Sean - forma gaélico-irlandesa de João / John.

Sebaldo - de origem germânica, significa "o ousado da vitória"; variante: Sivaldo.

Sebastião - **Sebastian (ing.)** - **Sebastiano (it.)** - **Sébastien (fr.)** - de origem grega, significa "augusto, majestático, sagrado"; formas reduzidas: Bastião / Tião.

Secundo - **Secondo (it.)** - **Secundus (lat.)** - de origem latina, "o segundo filho". Variante: Secundino.

Sedecias - de origem hebraica, significa "Javé é justiça".

Seeley - com origem no velho inglês, significa "abençoado e feliz".

Segisberto - variante de Sigeberto.

Segismundo - de origem germânica, significa "protetor vitorioso".

Segundo - forma variante de Secundo.

Selby - com origem no velho inglês, significa "local dos salgueiros".

Selden - com origem no velho inglês, significa "o vale dos salgueiros".

Seleuco - de origem grega, significa "brilho, fulgor".

Selig - de origem iídiche, significa "abençoado, feliz".

Selmino - **Selmo** - variantes de Anselmo.

Selvino - variante de Sílvio.

Selwin - com origem no velho inglês, significa "amigo de casa".

Sem - de origem hebraica, significa "fama, celebridade"; era o nome de um dos três filhos de Noé.

Sêneca - de origem latina, significa "velho, ancião".

Sênior - com origem no velho francês, significa "senhor".

Septimus - Sétimo - de origem latina, significa "o sétimo filho".

Serafim - de origem hebraica, significa "purificado pelo fogo, exclente".

Serafino - variante de Serafim.

Seraine - de origem francesa, significa "sereia".

Serapião - de origem latina, era o nome de uma divindade egípcia adorada por gregos e troianos.

Sereno - de origem latina, significa "calmo, tranquilo, puro".

Serge - forma francesa de Sérgio.

Sergei - forma russa de Sérgio.

Sérgio - Sergius (ing./lat.) - de origem etrusca, significa "servo, o que cuida, o que serve".

Sertório - de possível origem latina, significa "alfaiate".

Serur - de origem árabe, significa "alegria".

Servando - de origem latina, significa "o que deve ser conservado, ser respeitado".

Sérvio - de origem latina, significa "salvo, resgatado".

Servílio - de origem latina, significa "aquele que serve, o útil".

Sérvulo - forma diminutiva de Sérvio, significa "aquele que está na classe mais baixa".

Sesto - Sextus (ing.) - de origem latina, significa "o colocado em sexto lugar". Variante: Sexto.

Sestino - variante diminutiva de Sesto / Sexto.

Set - Seth - de origem hebraica, significa "o colocado no lugar de outro". Conforme a Bíblia, foi o filho de Adão e Eva mandado por Deus em substituição a Abel.

Sétimo - Setimus (lat.) - de origem latina, significa "o sétimo filho".

Seton - variante de Seaton.

Seumas - variante gaélica de Jaime.

Severiano - de origem latina, significa "glorioso, austero".

Severino - forma diminutiva de Severo.

Severo - de origem latina, significa "severo, austero, rigoroso".

Severiano - variante de Severo.

Sexton - com origem no velho francês, significa "sacristão".

Sewald - **Sewall** - **Sewell** - com origem no antigo inglês, significa "mar poderoso, mar imenso"; variantes: Sivaldo / Siwald.

Shalom - de origem hebraica, significa "paz".

Shane - forma inglesada de Sean e de João.

Shanley - de origem gaélico-irlandesa, significa "próprio do herói".

Shaw - com origem no velho inglês, significa "pequeno bosque, pequena mata".

Shea - de origem gaélico-irlandesa, significa "valente, corajoso, denodado".

Sheldon - com origem no velho inglês, significa "colina quente com abrigo".

Sheridan - de origem gaélico-irlandesa, significa "aquele que busca, solicitante, pretendente".

Sherwin - com origem no velho inglês, significa "amigo leal, verdadeiro amigo".

Sibaldo - variante de Sebaldo.

Sídnei - **Sideny** - de origem inglesa, significa "ilha vazia, ilha despovoada" ou, do francês, proveniente de São Dinis. Variante: Sydney; forma reduzida: Sid.

Sidônio - **Sydony (ing.)** - de origem latina, significa "proveniente de Sidon (antiga cidade da Fenícia)".

Sidor - forma reduzida de Isidoro.

Sidraque - de origem hebraica, era o apelido dado a Ananias.

Siegfried - **Sigifrido** - de origem germânica, significa "vitória e paz"; formas reduzidas: Fried / Fritz / Sígui.

Sigeberto - de origem germânica, significa "vitória brilhante, muito brilhante por causa da vitória".

Sigismundo - **Segismundo** - **Siegmund (germ.)** - **Sigismond (fr.)** - **Sigismondo (it.)** - **Sigmund (ing.)** - de origem germânica, significa "aquele que protege através da vitória".

Sigiswald - **Sigisvaldo** - de origem germânica, significa "governo vitorioso".

Sigmar - de origem germânica, significa "famoso pela vitória, vencedor com fama".

Sigurd - com origem no velho norueguês, significa "guardião vitorioso, sentinela vitoriosa".

Silas - forma reduzida de Silvano.

Silfredo - de origem germânica, significa "aquele que protege, que traz a paz ao espírito".

Silvano - Silvain (fr.) - Silvanus (ing./lat.) - Sylvanus (ing.) - de origem latina, significa "deus das selvas, próprio da selva".

Silvério - de origem latina, significa "pertencente à mata, silvestre".

Silvestre - Silvester (ing.) - Silvestro (it.) - Sylvester (ing.) - de origem latina, significa "próprio da selva, da mata, referente à selva".

Silvino - forma diminutiva de Sílvio.

Sílvio - Silvius (lat.) - Sylvius (ing.) - forma masculina de Sílvia. De origem latina, significa "próprio da selva, silvestre, referente ao mato".

Sim - forma reduzida de Simeon / Simon / Simone.

Símaco - de origem grega, significa "aliado para a guerra, confederado para a luta".

Simão - Simeon (ing.) - Simon (ing.) - Simón (esp.) - Simone (fr.) - de origem hebraica, significa "aquele que é ouvido por Deus"; formas reduzidas: Sim / Simmy.

Simeão - Simeone (it.) - de origem hebraica, significa "dom de ouvir ou de escutar".

Simplício - de origem latina, significa "simples, singelo".

Simson - de origem inglesa, significa "filho de Sim / Simão".

Sinclair - de origem no velho francês, indica o proveniente de Saint Clair, na França.

Sindolfo - Sindulfo - de origem germânica, significa "lobo da expedição militar".

Sinésio - de origem grega, significa "unanimidade, compreensão".

Sinfrônio - de origem grega, significa "ter o mesmo pensamento, ser unânime".

Sinibaldo - de origem germânica, significa "o ousado da expedição militar, valente".

Sinval - de origem germânica, significa "aquele que dirige um comando, que comanda uma expedição".

Sinvaldo - variante de Sinval.

Sionei - variante de Sioned.

Siriano - variante de Siro.

Siro - **Sírio** - de origem latina, significa "proveniente da Síria".

Sirte - de origem fenícia, significa "deserto".

Sisenando - de origem germânica, significa "o pleiteante, aquele que reclama, que exige".

Sitônio - variante de Sidônio.

Sivonei - variante de Ivonei.

Siwald - variante de Sewald / Sivaldo.

Skerry - com origem no velho norueguês, significa "rochedo do mar".

Skipper - com origem no inglês medieval, significa "pulo, salto"; pelo holandês, significa "capitão de navio". Forma reduzida: Skip.

Slade - de origem no velho inglês, significa "vale".

Sly - forma diminutiva de Silvester / Sylvester.

Sócrates - de origem grega, significa "força salvadora, salvação e força".

Sófocles - de origem grega, significa "famoso, conhecido, afamado".

Sofonias - de origem grega, significa "Javé esconde".

Sol - **Solly** - formas diminutivas de Salomão / Solomon.

Solano - de origem latina, significa "que vem do sol, referente ao sol".

Soleimão - variante árabe de Salomão / Suleiman.

Sólon - de origem grega, significa "lançador de discos".

Solveig - com origem no velho norueguês, significa "casa forte, fortaleza".

Somerled - com origem no velho norueguês, significa "viajante de verão".

Soriano - de origem espanhola, refere-se ao habitante de Sória.

Sorley - forma inglesa de Somhairle.

Sóstenes - de origem grega, significa "a força que salva".

Sotero - de origem grega, significa "salvador".

Stafford - com origem no velho inglês, significa "vau, local de atravessar um campo".

Stanford - de origem no velho inglês, significa "passagem da pedra, vau da pedra". Variante: Stamford.

Stanislas - **Stanislaus** - de origem eslava, significa "governo e glória"; formas inglesas de Estanislau.

Stanley - de origem no velho inglês, significa "campo pedrado, campo com pedras".

Stanton - de origem no velho inglês, significa "sítio cheio de pedras, fazenda com pedras".

Stefan (germ.) - **Stefano (it.)** - **Stephan (germ.)** - **Stephen (ing.)** - formas variantes de Estêvão.

Steve - forma reduzida de Estêvão.

Stockland - com origem no velho inglês, significa "terras de uma casa religiosa, terras de um convento".

Stockley - com origem no velho inglês, significa "prado limpo de uma casa religiosa".

Stuart - com origem no velho inglês, significa "administrador".

Sueto - de origem etrusca, significa "costume, tradição".

Suetônio - variante Sueto, possui derivação etrusca.

Suliman - **Sulimã** - formação árabe para o nome Salomão.

Summer - de origem sânscrita, significa "verão, a estação quente".

Sumner - com origem no velho francês, significa "aquele que cita, que intima".

Suriel - de origem hebraica, significa "minha rocha é Deus".

Sutherland - com origem no velho norueguês, significa "terra do sul".

Sven - com origem no velho norueguês, significa "rapaz, jovem, solteiro".

Sylvain - forma francesa de Silvano.

Tabajara - de origem tupi, significa "senhor da aldeia".

Taciano - de origem latina, derivado de Tácio.

Tácio - de origem latina, possivelmente vem dos verbos calar e silenciar.

Tácito - de origem latina, significa "calado, silencioso, taciturno".

Tad - forma reduzida de Tadeu em inglês.

Tadeu - **Taddeo (it.)** - **Thaddeus (ing.)** - de origem aramaica, significa "o corajoso, o confessor".

Tadhg - forma gaélico-irlandesa de Tadeu; variante: Teague.

Taggart - de origem gaélico-escocesa, significa "padre".

Talbot - de origem germânica, significa "o comandante, o chefe do vale".

Tam - forma reduzida inglesa de Thomas / Tomás.

Tancredo - **Tancred (ing.)** - **Tancredi (it.)** - de origem germânica, significa "conselheiro forte, conselheiro".

Tano - forma reduzida de Caetano.

Tântalo - de origem grega, significa "o derrotado, o aniquilado".

Tânus - forma reduzida espanhola de Antônio.

Tarcísio - de origem grega, significa "confiança, coragem, ousadia".

Tarquínio - designa o habitante da antiga cidade etrusca Tarquinium; do etrusco, significa "rei, príncipe".

Tarsílio - de origem grega, significa "corajoso, ousado, valente".

Tasso - de origem grega, significa "ousado, audacioso, corajoso".

Taufik - de origem árabe, significa "boa aventura".

Taylor - com origem no velho francês, significa "alfaiate".

Ted - Teddie - Teddy - formas inglesas reduzidas dos nomes Edward / Teodoro / Teodorico.

Telêmaco - de origem grega, significa "o que luta por um fim". Era o nome do filho de Ulisses e Penélope.

Telésforo - de origem grega, significa "aquele que carrega ao fim".

Telo - de origem germânica, significa "conveniente, esperto".

Telmo - esse nome foi criado no século XIX por Maria Corelli, em sua novela Telma; talvez, do grego, significando "desejo, vontade".

Temístocles - de origem grega, significa "famoso pela justiça, conhecido pela justiça".

Tennison - Tennyson - formas inglesas para Dennison.

Teobaldo - de origem germânica, significa "corajoso, o mais ousado".

Teócrito - de origem grega, significa "o escolhido por Deus".

Teodardo - de origem germânica, significa "forte como o povo".

Teodato - de origem greco-latina, significa "dado a Deus".

Teodemiro - Teodomiro - de origem germânica, significa "célebre, brilhante".

Teodolfo - Teodulfo - de origem germânica, significa "o lobo do povo".

Teodolindo - de origem germânica, significa "serpente adorada pelo povo".

Teodoreto - de origem grega, significa "dado por Deus".

Teodorico - de origem germânica, significa "senhor príncipe do povo".

Teodoro - Fédor (rus.) - Theodore (ing.) - de origem grega, significa "presente de Deus"; formas reduzidas: Doro / Teo.

Teodósio - de origem grega, significa "o presente dado por Deus".

Teófano - de origem grega, significa "nascido no dia da Epifania, no dia dos reis magos".

Teófilo - Theophilus (ing./lat.) - de origem grega, significa "amigo de Deus".

Teógenes - de origem grega, significa "de origem divina, nascido de Deus".

Teolindo - variante de Teodolindo.

Teótimo - de origem grega, significa "aquele que honra a Deus".

Teotônio - de origem germânica, significa "teuto, teutônico, germânico".

Tércio - de origem latina, significa "o terceiro filho".

Tercílio - variante de Tércio.

Terêncio - Terence (ing.) - Terencio (esp.) - de origem latina, indica a deusa da debulha do trigo. Formas reduzidas em inglês: Tel / Terry.

Terésio - forma masculina de Teresa.

Terris - Terriss - de origem inglesa, significa "filho de Terence".

Tertuliano - de origem latina, forma diminutiva de Tertius. Significa "o terceiro filho".

Teseu - de origem grega, significa "instituidor, autor".

Teudelindo - variante de Teodolindo.

Thaine - com origem no velho inglês, significa "proprietário de terra recebida por prestação de serviços militares"; variante: Thane.

Theo - forma reduzida de Theobald / Theodore.

Theodoric - Theodorick - formas inglesas de Teodorico, com as formas reduzidas Dereck / Derrick / Dirk / Ted / Teddie / Teddy.

Theron - de origem grega, significa "herói".

Thibaut - forma francesa de Teobaldo.

Thierry - forma francesa para Teodorico.

Tirso - de origem hebraica, significa "delícias, maravilhas"; conhecido o escritor espanhol Tirso de Molina, criador da personagem Don Juan.

Tiago - Thiago - variante de Jacó / Jaime / James.

Tibério - de origem latina, significa "referente ao rio Tibre"; famoso imperador de Roma.

Tibold - forma germânica de Teobaldo.

Tibúrcio - de origem latina, significa "natural de Tibur / Tívoli".

Ticiano - Tiziano (it.) - de origem latina, significa "venerável". Variante de Titianus, pertencente à família de Tito.

Tico - de origem grega, significa "deusa de felicidade".

Tiernam - Tierney - de origem gaélico-irlandesa, significa "senhor".

Tílio - forma reduzida de Atílio / Attilio.

Till - forma reduzida germânica de Dietrich.

Tim - forma inglesa reduzida de Timon / Timothy.

Tímon - **Timon** - de origem grega, significa "recompensa, gratificação".

Timóteo - **Timothy (ing.)** - de origem grega, significa "que venera, que adora a Deus". Formas reduzidas inglesas: Tim / Timmie / Timmy.

Tino - forma reduzida de Albertino / Altino / Clementino / Cristino.

Tinoco - forma diminutiva de Antônio; alcunha familiar.

Tiree - **Tirê** - de origem gaélico-escocesa, significa "terra de cereais, terra de milho e trigo". É o nome de uma ilha inglesa.

Titino - variante de Tito.

Tito - **Tite (fr.)** - **Titus (ing./lat.)** - **Tizio** - de origem latina, significa "pombo selvagem".

Tobey - **Tobi** - **Toby** - formas variantes de Tobias em inglês.

Tobias - **Tobia (it.)** - **Tobiah** - de origem hebraica, significa "Deus é bom, bom é Javé".

Todd - com origem no velho norueguês, significa "raposa".

Todhunter - com origem nos velhos inglês e norueguês, significa "caçador de raposas".

Tom - forma reduzida de Tomás / Thomas.

Tomás - **Thomas (ing.)** - **Tomaso (it.)** - **Tommaso (it.)** - de origem aramaica, significa "gêmeos", por ser variante de Tomé. Formas reduzidas em inglês: Tam / Thom / Tom / Tommy.

Tomasino - variante de Tomás.

Tomé - de origem aramaica, significa "gêmeos".

Tommie - **Tommy** - formas diminutivas inglesas de Tomás / Tomé.

Toni - **Tóni** - forma reduzida italiana de Antônio.

Tonico - **Tonho** - variantes diminutivas de Antônio.

Tony - forma reduzida inglesa de Antony.

Topaz - **Topázio** - nome de uma pedra preciosa.

Tor - variante de Thor.

Toríbio - de origem grega, significa "inquieto"; variante: Turíbio.

Tordis - com origem no velho norueguês, significa "a bondade do deus Thor".

Torello - **Torino** - formas diminutivas italianas de Salvador.

Toríbio - de origem grega, significa "inquieto, desassossegado"; variante de Turíbio.

Torquato - de origem latina, significa "ornado com um colar, enfeitado com colar".

Torquil - com origem no velho norueguês, significa "caldeirão de Deus".

Totó - **Toto** - formas reduzidas italianas de Antônio.

Trajano - nome de um imperador romano; nome derivado de troiano.

Tranquilino - variante de Tranquilo.

Tranquilo - de origem latina, significa "quieto, calmo, sossegado".

Travers - com origem no velho francês, significa "cruzamento, encruzilhada de estradas"; variante: Travis.

Trevor - de origem galesa, significa "grande rio". Variante: Trev.

Tristão - **Tristam (ing.)** - **Tristan (ing.)** - de origem céltica, significa "triste, tristonho".

Troy - com origem no velho francês, significa "proveniente de Tróia".

True - de origem inglesa, significa "verdade, algo verdadeiro".

Tucídides - de origem grega, significa "glória de Deus".

Tudor - de origem galesa, é uma forma para Teodoro.

Tufik - de origem árabe, significa "boa aventura, fortuna, sorte". Variante: Tufi.

Túlio - **Tullio (it.)** - **Tullius (ing.)** - **Tullo** - de origem etrusca, significa, provavelmente, "chuva impetuosa".

Tully - forma inglesa e germânica para Túlio.

Tupinambá - de origem tupi, significa "descendente dos tupis".

Turíbio - variante de Toríbio.

Tutu - forma reduzida de Artur.

Ty - forma reduzida inglesa de Tybalt / Tyler / Tyrone / Tyson.

Tyler - com origem no velho inglês, significa "fabricante de telhas, telheiro".

Tyrone - de origem gaélico-irlandesa, significa "terra de Owen"; forma reduzida: Ty.

Tyson - com origem no velho francês, significa "tição, lenha acesa".

u

MENINOS

Uadi - de origem árabe, significa "brando, manso".

Ubaldino - forma diminutiva de Ubaldo.

Ubaldo - de origem germânica, significa "audacioso, espírito ousado, ousado no pensamento".

Uberto - forma italiana para Humberto.

Ubirajara - de origem tupi, significa "senhor do tacape". Nome de um herói de um romance de José de Alencar. Forma reduzida: Bira.

Ubiratã - de origem tupi, significa "tacape forte".

Udalrico - de origem germânica, significa "senhor de bens, de propriedades".

Udelson - de origem inglesa, significa "filho de Udel".

Udo - de origem germânica, significa "próspero".

Udall - Udell - com origem no velho inglês, é o nome de uma árvore.

Ugo - Ugolino - Ugone - formas italianas para Hugo.

Uldarico - Ulderico - de origem germânica, significa "senhor das propriedades, muito rico".

Ulfo - de origem no velho inglês ou no germânico, significa "lobo".

Uli - forma reduzida de nomes começados com "Ul" ou "Otmar".

Ulian - forma reduzida italiana de Giuliano / Júlio.

Ulisses - Ulisse (it.) - de origem grega, significa "o colérico, o irritado, o nervoso".

Ulmar - Ulmer - com origem no velho inglês, significa "lobo".

Ulpiano - de origem latina, significa "raposa".

Ulrico   Ulric (ing.) - Ulrick (ing.) - com origem no velho inglês, significa "a força do lobo". Variante germânica: Ulrich; outra variante: Ulrike.

Último - de origem latina, significa "o último, o derradeiro"; nome dado ao caçula da família.

Umbelino - de origem latina, significa "próprio do guarda-chuva, refente à sombrinha".

Umberto - forma italiana de Humberto.

Urbaine - forma francesa de Urbano.

Urbano - Urban (ing.) - de origem latina, significa "citadino, próprio da cidade, civilizado, educado, habitante de cidade".

Urbino - variante de Urbano.

Uri - de origem hebraica, significa "luz, brilho".

Uriah - Urias - de origem hebraica, significa "luz de Javé, Javé é a minha luz".

Urian - de origem dinamarquesa, significa "agricultor, lavrador".

Uriel - de origem hebraica, significa "Deus é minha luz, brilho de Javé".

Ursino - de origem latina, significa "pequeno urso".

Uzias - Uzziah - de origem hebraica, significa "Javé é a força".

Uziel - Uzziel - de origem hebraica, significa "Javé é forte, Deus é a força".

V

Vachel - com origem no velho francês, significa "pequeno bezerro".
Vágner - **Wagner** - de origem germânica, significa "quem fabrica vagões".
Vail - com origem no velho inglês, significa "vale".
Valberto - variante de Gualberto.
Valdelir - variante masculina de Valda.
Valdemar - **Valdemaro (it.)** - de origem germânica, significa "famoso pelo governo, notável pela arte de governar".
Valdemiro - de origem russa, significa "rei da paz, soberano pacífico"; forma reduzida: Miro.
Valdevino - variante de Balduíno.
Valdinei - variante de Valdinir.
Valdinir - forma derivada de Valdo.
Valdir - **Waldir** - de origem germânica, significa "governar, adminstrar, dirigir".
Valdiro - variante de Valdir.
Valdívio - variante de Valdevino / Valdivino.
Valdo - forma reduzida de Valdomiro.
Valdomiro - variante de Valdemiro.
Valêncio - do latim, significa "Santo Católico".
Valente - de origem latina, significa "valente, corajoso, destemido".
Valentim - de origem latina, significa "valoroso, forte, corajoso".
Valentino - **Valentine (it.)** - forma derivada de Valente; forma reduzida: Tino.
Valentiniano - forma derivada de Valentino.
Valeriano - variante de Valério.

Valério - **Valerian (ing.)** - **Valerie (fr.)** - de origem latina, significa "forte, saudável"; forma reduzida: Val.

Valfredino - forma diminutiva de Valfredo.

Valfredo - variante de Valfrido.

Valfrido - de origem germânica, significa "aquele que dá paz, que protege, que governa com paz"; formas reduzidas: Val / Frido.

Váli - **Valli** - **Wally** - formas diminutivas de Wallace / Wallis.

Valmir - **Valmiro** - de origem germânica, significa "eleito, escolhido, seleto".

Valmoci - **Valmocir** - variantes de Valmor.

Valmor - de formação portuguesa, significa "vale maior".

Válter - **Walter** - de origem germânica, significa "grande guerreiro, comandante do exército".

Valtério - variante de Válter.

Vance - com origem no velho inglês, significa "jovem, moço".

Vando - de origem germânica, significa "peregrino, esperança".

Vandelino - forma diminutiva de Vando.

Vanderlei - **Vanderley** - **Wanderley** - de origem holandesa, significa "próprio das ardósias, das pedras".

Vanderson - de origem germânica, significa "filho de Vander".

Vânio - dimintuivo russo de Ivan (João).

Vanni - forma italiana reduzida para Giovanni / João.

Varrão - **Varro (lat.)** - de origem latina, significa "de pernas tortas".

Vasco - **Velasco (esp.)** - de origem basca, significa "o habitante dos países bascos".

Vasili - **Vassily** - forma russa para Basil / Basílio.

Vaughan - **Vaughn** - de origem galesa, significa "algo pequeno, o que é pequeno".

Venâncio - **Venanzio (it.)** - de origem latina, significa "caçador".

Venceslau - de origem eslava, significa "coroado de glórias, cheio de glórias".

Vendelino - variante de Vandelino.

Venerando - de origem latina, significa "aquele que deve ser venerado".

Venício - variante de Vinício.

Vergílio - Vergil (ing.) - variante de Virgílio / Virgilius.

Verne - forma reduzida de Laverne.

Vernon - de origem no velho francês, significa "árvore mais velha".

Vespasiano - de origem latina, significa "quem lida com abelhas, vespas".

Véspero - de origem latina, significa "tarde, tardinha, anoitecer".

Vibaldo - de origem germânica, significa "valente na guerra, ousado, audacioso".

Vicente - Vicêncio - de origem latina, significa "vencedor, vitorioso".

Vicentino - Vicentinho - formas diminutivas de Vicente.

Vico - forma reduzida italiana de Ludovico.

Vidal - Vital - de origem latina, significa "essencial, com vida".

Vigando - de origem germânica, significa "lutador, combatente".

Vigberto - de origem germânica, significa "brilhante na guerra".

Viggo - de origem dinamarquesa, significa "combatente, guerreiro, lutador".

Vilhelm - forma sueca de Guilherme / William.

Vilmar - de origem germânica, significa "determinado, resoluto".

Vilmaro - de origem germânica, significa "brilho da vontade, vontade notável".

Vílson - variante portuguesa de Wilson; forma reduzida: Víli.

Vincent - Vincente (it.) - variante inglesa de Vicente; formas diminutivas: Vince / Vinnie / Vinny.

Vinebaldo - de origem germânica, significa "ousadia de amigo, amigo ousado".

Vinício - Vinicius (lat.) - de origem latina, significa "aquele que tem voz agradável"; variante: Venício.

Violante - de origem germânica, significa "senhor das riquezas, senhor da terra".

Virgílio - Virgil (ing.) - Virgilius (lat.) - de origem latina, significa "diminutivo de virga, raminho, varinha". Variante: Vigílio.

Virgolino - Virgulino - de origem latina, é uma forma diminutiva de virgo, donde, "pequeno virgem".

Viriato - de origem latina e celta, significa "o que usa bracelete".

Vital - Vitale (it.) - de origem latina, significa "vital, essencial, com vida"; variante: Vidal.

Vitaliano - Vitalino - variantes de Vital.

Vitélio - de origem latina, significa "vitelo, bezerro, terneiro".

Vito - forma italiana de Vítor; forma latina de vita.

Vitoldo - de origem germânica, significa "aquele que governa uma floresta, que cuida de uma floresta".

Vítor - Victor - de origem latina, significa "vencedor, vitorioso".

Vitoraldo - junção dos nomes Vítor e Aldo.

Vitorino - forma diminutiva de Vítor.

Vitório - de origem latina, significa "vencedor, vitorioso".

Vivaldo - de origem germânica, significa "o que governa na guerra".

Viviano - de origem latina, significa "aquele que tem vida, que está cheio de vida".

Vlad - forma reduzida para Ladislau e de Vladimiro.

Vladimir - de origem eslava, significa "famoso rei, realeza famosa".

Vladislav - Vladislau - de origem eslava, significa "grande governante, senhor poderoso".

Volfango - forma portuguesa de Wolfgang.

Vôlnei - de origem germânica, significa "espírito do povo, patriota".

Vulmaro - de origem germânica, significa "lobo conhecido, lobo famoso".

Vulpiano - de origem latina, relativo à raposa.

Vunibaldo - variante de Wunibaldo.

W

Wade - com origem no velho inglês, significa "ir para, atravessar uma passagem".

Wadi - **Wadith** - de origem árabe, significa "manso, brando, suave".

Wagner - variante de Vágner.

Wake - com origem no velho inglês, significa "alerta, pronto, disposto".

Waldo - variante de Valdo; de origem germânica, significa "dirigente, governante, chefe".

Waldemar - variante de Valdemar.

Walker - com origem no velho inglês, significa "cheio, completo".

Wallace - variante escocesa de Wallis, podendo ser também Wally.

Wallis - com origem no velho francês, significa "forasteiro, estrangeiro"; variantes: Wallace / Wally.

Walt - forma reduzida de Walter / Walton.

Walter - **Válter** - **Walther (germ.)** - de origem germânica, significa "comandante do exército e do povo"; formas diminutivas: Walt / Wat / Watty.

Ward - com origem no velho inglês, significa "guarda, vigia".

Warner - de origem germânica, significa "protetor do exército".

Washington - com origem no velho inglês, significa "localidade, aldeia de Wassa".

Wayne - de origem inglesa, significa "carroceiro, condutor de carroças". Sobrenome famoso a partir de John Wayne, no cinema.

Wellington - com origem no velho inglês, significa "sítio, fazenda de Weola".

Wenceslau - **Venceslau** - **Wenceslas** - **Wenceslaus** - de origem eslava, significa "coroado de glória".

Wendel - Wendell - de origem germânica, significa "pertencente ao povo Wend".

Wenzel - forma reduzida de Wenceslau.

Werner - Vérner - variante germânica de Warner.

Werter - Vérter - Werther - de origem germânica, significa "guerreiro digno". Herói e título de uma obra de Goethe, com muito sucesso no Romantismo alemão.

Wesley - com origem no velho inglês, significa "madeira, mata do oeste"; forma reduzida: Wes.

Wido - Wito - formas reduzidas de Guido.

Wilbert - com origem no velho inglês, significa "bem-nascido, com berço".

Wilbur - com origem no velho inglês, significa "urso selvagem".

Wilfrid - Wilfred - de origem germânica, significa "desejo, vontade de paz"; forma reduzida: Wilf.

William - Guilherme - Wilhelm - de origem germânica, significa "protetor, determinado"; formas reduzidas: Wil / Willie / Willy / Wim.

Willard - com origem no velho inglês, significa "resoluto, determinado, pronto".

Wilson - Vílson - Willson - com origem no velho inglês, significa "filho de Will (forma reduzida de William)"; formas reduzidas: Willi / Willy.

Wilton - com origem no velho inglês, significa "próprio para o alimento, comestível".

Winifred - Winifredo - com origem no velho inglês, significa "paz e felicidade"; formas reduzidas: Fredo / Win / Winnie / Wynn / Wynne.

Winston - com origem no velho inglês, significa "local, sítio, fazenda dos amigos".

Winter - com origem no velho inglês, significa "inverno, a estação mais fria do ano".

Winton - com origem no velho inglês, significa "fazenda dos amigos".

Wolf - Wolfe - com origem no velho inglês, significa "lobo".

Wolfgang - de origem germânica, significa "lobo selvagem"; forma reduzida: Wolfi.

Wolfram - de origem germânica, significa "lobo preto".

Woodrow - de origem inglesa, significa "coluna de madeira em uma casa"; forma reduzida: Woody.

Wunibaldo - de origem germânica, significa "coragem no prazer, delícias ousadas".

Wyman - com origem no velho inglês, significa "protetor da batalha, dirigente da batalha".

Wyn - de origem galesa, significa "branco"; variante: Wynn.

Wyndham - com origem no velho inglês, significa "local de muito vento".

X

Xafik - de origem árabe, significa "benigno, misericordioso, clemente".

Xande - variante de Xando.

Xander - **Xando** - **Xandu** - formas reduzidas de Alexandre.

Xavier - de origem basca, significa "casa nova"; destacou-se a partir de São Francisco Xavier, famoso santo espanhol.

Xenofonte - de origem grega, significa "aquele que tem língua estrangeira".

Xerxes - de origem persa, significa "rei leão".

Xílon - de origem grega, significa "madeira".

Xisto - de origem grega, significa "polido, cortês, educado"; variante: Sisto.

y

Yacinto - variante de Jacinto.

Yago - **Iago** - variantes de Tiago.

Yale - de origem galesa, significa "planalto fértil".

Yann - **Ian** - **Iann** - forma gaélica para João / John.

Yared - de origem árabe e hebraica, significa "servidor".

Yehuda - variante de Jehuda.

Yehudi - de origem hebraica, significa "judeu, hebreu".

Yuri - forma russa de Jorge.

Yvan - variante de Ivan / Ivã.

Yves - de origem franco-germânica, é o nome de uma planta; variante de Ivo.

Yvette - forma diminutiva de Ives / Yves.

Yvon - variante de Ivo.

Z

Zabdiel - de origem hebraica, significa "presente de Deus".

Zabulão - de origem hebraica, significa "habitação, moradia".

Zacarias - **Zachariah (ing.)** - **Zachary (ing.)** - de origem hebraica, significa "o lembrado por Javé"; formas reduzidas: Zach / Zack / Zak.

Zada - de origem árabe, significa "aquele que tem sorte, afortunado".

Zadok - **Sadoc** - **Sadoque** - de origem hebraica, significa "justo, justiceiro".

Zaqueu - de origem hebraica, significa "puro, claro, límpido".

Zarif - de origem árabe, significa "gracioso, meigo".

Zé - forma reduzida de José, designativo de muitos anônimos pobres, como Zé-Ninguém.

Zeb - forma reduzida inglesa de Zebedeu / Zebediah / Zebulon.

Zebedeu - **Zebadiah (ing.)** - **Zebedee (ing.)** - de origem hebraica, significa "presente do Senhor Deus".

Zebulão - **Zebulon (ing.)** - variante de Zabulão; formas reduzidas inglesas: Zeb / Lonny.

Zeca - forma popular reduzida para José.

Zeferino - de origem grega, significa "dedicado ao deus do vento (Zéfiro), propício".

Zeke - forma diminutiva inglesa de Esequiel / Ezekiel.

Zelindo - de origem germânica, significa "escudo, proteção".

Zelmiro - de origem árabe, significa "brilhante, fulgurante".

Zeno - de origem grega, significa "Zeus" ou "presente de Zeus".

Zenas - de origem grega, significa "presente de Zeus, dádiva de Zeus".

Zenelise - junção de nomes Zenas e Elise.
Zeni - variante italiana para Zeno.
Zenir - variante de Zena.
Zeno - de origem grega, significa "presene de Zeus", como forma reduzida de Zenódoro ou Zeus.
Zenóbio - de origem grega, significa "aquele que tem vida através de Zeus".
Zenódoro - de origem grega, significa "presente de Zeus".
Zenon - **Zenão** - **Zenone** - variantes de Zeno.
Zezé - forma popular de José; variante: Zezito.
Zico - forma reduzida de José.
Zigmunt - variante de Sigismundo.
Zóilo - de origem grega, significa "invejoso, falador, murmurador".
Zoltan - de origem e significado incertos.
Zoroastro - de origem persa, significa "o adorador dos astros".
Zózimo - de origem grega, significa "pleno de vida".
Zulmir - variante masculina de Zulmira.
Zumbi - de origem afro, significa "espectro, fantasma".
Zuriel - de origem hebraica, significa "Deus é minha pedra, minha base".
Zuza - forma popular de José; variantes: Cazuza / Zuzo.

Bibliografia

- ATTWATER, Donald. Dicionário dos Santos. 1ª edição. Círculo Livro.
- BALBAS, Marcial Soto; BALLESTERO-ALVAREZ, Maria Esmeralda. Dicionário Espanhol / Português - Português / Espanhol. 1ª edição. FTD.
- BARBOSA, Osmar. Um Nome para o Bebê. 1ª edição. Ediouro.
- COSTA, Camille Vieira da. Dicionário de Nomes Próprios. 1ª edição. Traço Editora.
- DICIONÁRIO Michaelis Inglês / Português - Português / Inglês. Melhoramentos.
- DICTIONARY of First Names. Tiger – Pocket Reference.
- DICTIONARY of First Names. 1ª edição. ClaysLtd, St Yves plc.
- FERREIRA, Aurélio Buarque de Holanda. Novo Dicionário Aurélio. 2ª edição. Nova Fronteira.
- GUÉRIOS, Rosário Farâni Mansu. Dicionário etimológico de nomes e sobrenomes. 22ª edição. São Paulo: Editora Ave Maria, 1973.
- MASUCCI, Oberdan. Dicionário Tupi Português e Vice-Versa. 1ª edição. Rio de Janeiro: Brasilivros, 1979.
- NAMING Your Baby. 1ª edição.
- OBATA, Regina. O livro dos nomes. 1ª edição. Nobel.
- PÂNDU, Ana; PÂNDU, Pandiá. Que nome darei ao meu filho? 22ª edição. Ediouro.
- PITTANO, Giuseppe. Dizionario dei Nomi Propri. 1ª edição. Manuali Sonzogno.
- ROOM, Adrian. Dictionary of Proper Names. 1ª edição. Cassell.
- SALAS, Emilio. Los Nombres. 1ª edição. Robin Book.
- ZINGARELLI, Nicola. II Nuovo Zingarelli. 11ª edição. Zanichelli.

Pequeno glossário

Celta – povo que habitou toda a região europeia da Grã-Bretanha, da França, da Espanha e de Portugal, principalmente, isso antes de surgirem os romanos e outros invasores.

Escócia – região inglesa com parlamento próprio.

Eslavo – povo que habitou – e habita – toda a região entre a Europa Ocidental e a Rússia, como Polônia, Checoslováquia e Hungria.

Gaélico – tudo que seja próprio, relativo aos celtas da Inglaterra, Irlanda e Escócia.

Gales – é uma região da Inglaterra com usos próprios e diferenças na fala, por isso, os nomes galeses possuem um som diverso.

Germânico – engloba todos os povos invasores do império romano no início do primeiro milênio da Era Cristã.

Irlanda – país independente, em parte, que esteve sempre muito ligado à Inglaterra, pela língua e pelos costumes, travando inúmeras guerras para fugir da opressão inglesa.

Nórdico – relativo aos países escandinavos, ao norte da Europa.

ABREVIATURAS

esc. – escocês
escand. – escandinavo
esl. – eslavo
esp. – espanhol
fr. – francês
germ. – germânico
hol. – holandês
húng. – húngaro
ing. – inglês
it. – italiano
lat. – latim
rus. – russo
ucr. – ucraniano

Félix Galileu Jairo Amanda Gisa Isabel Jasmim Leila Larissa
Alex Alvin Beto Benedito Ismael Rafael Amábile Nicole Paola Rosemary Miranda Kim Ivana Ana Alícia Orlando Joice
Tina Priscila Olívia Rebeca Eleanor
Oziel Henrique Daniel Carlos Eva Emily Dulce Clarisse Nicolas Eduardo Cirilo
Douglas Geraldo Lúcio Marcelo Rodrigo Gabi Hanna Selma Úrsula Vitória
Pablo Luís Hélio